Uso JUNIOR

Avanzado

Ramón Palencia

GRUPO DIDASCALIA, S.A.
Plaza Ciudad de Salta, 3 - 28043 MADRID - (ESPAÑA)
TEL.: (34) 914.165.511 - (34) 915.106.710
FAX: (34) 914.165.411
e-mail: edelsa@edelsa.es
www.edelsa.es

Primera edición: 2003
Primera reimpresión: 2007
Segunda reimpresión: 2008
Tercera reimpresión: 2009
Cuarta reimpresión: 2011

Autor: Ramón Palencia del Burgo

Dirección y coordinación editorial: Departamento de Edición de Edelsa.
Diseño de cubierta: Departamento de Imagen de Edelsa.
Diagramación y maquetación: Dolors Albareda.
Imprenta y encuadernación: EGEDSA, S.A.

Ilustraciones: Ángeles Peinador Arbiza

ISBN: 978-84-7711-555-7
Depósito legal: B-28074-2011

Impreso en España
Printed in Spain

Presentación

Uso *JUNIOR* es una gramática de español que consta de:

- 24 temas.
- 25 Actividades comunicativas.

En cada tema se trabaja un contenido gramatical a través de:

Viñetas de presentación

Cuadros de gramática

(de, por... +) ¿Dónde? – *¿Dónde vives?* • *En Málaga.*	**¿Adónde?** – *¿Adónde vais?* • *Al cole.*
(desde, hasta... +) ¿Cuándo? – *¿Cuándo naciste?* • *El uno de noviembre de 1993.*	**¿Cómo?** – *¿Cómo es Caracas?* • *Es una ciudad muy moderna.*
¿Por qué? – *¿Por qué estudias español?* • *Porque me gusta.*	**(con, de, en... +) ¿Cuánto, cuánta, cuántos, cuántas? (+ sustantivo)** – *¿Cuánta gente fue al concierto?* • *Poca.*

Usos gramaticales

Recuerda que el *Imperativo* se usa:

- **Para ordenes e instrucciones:**
  Guárdelo en un lugar frío.
- **Para consejos o sugerencias:**
  Este libro es muy interesante. Léedlo.
- **Para invitaciones o peticiones:**
  La puerta está abierta. Ciérrala, por favor.
- **Para advertencias:**
  Ese cable tiene electricidad. No lo toques.
- **Para dar o negar permiso:**
  – *¿Puedo usar tu diccionario?*
  • *Sí, claro. Úsalo.*
  – *¿Podemos hacer el crucigrama del periódico?*
  • *No, no lo hagáis. Le gusta hacerlo a papá.*

Ejercicios

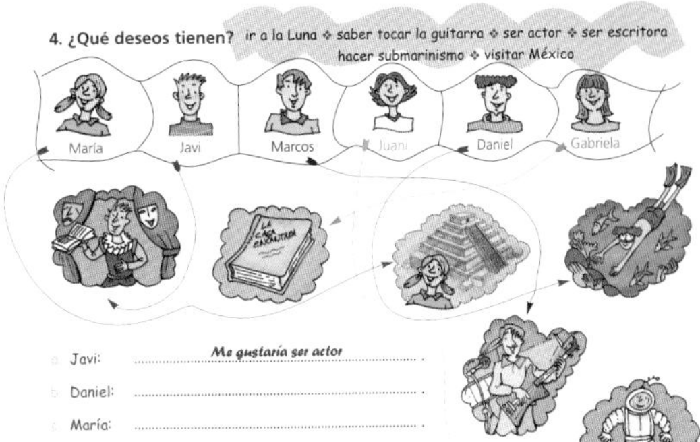

4. ¿Qué deseos tienen? ir a la Luna ✧ saber tocar la guitarra ✧ ser actor ✧ ser escritora ✧ hacer submarinismo ✧ visitar México

a. Javi: Me gustaría ser actor.
b. Daniel: ....
c. María: ....
d. Juani: ....
e. Gabriela: ....
f. Marcos: ....

 Ejercicios (variante hispanoamericana)

Actividades comunicativas para practicar de manera oral los contenidos gramaticales de cada tema.

20. ESPERO QUE NO LLUEVA

Las tres en raya

Juega con un compañero/a. Elige una casilla y completa la frase. Si lo haces correctamente, escribe tu nombre en esa casilla. Gana quien complete tres casillas en raya. Si tenéis dudas, consultad al profesor.

Espero que Mañana no...	Me encanta que mis amigos me...	No me gusta que la gente...	Tengo ganas de que mis padres...
Quiero que (tú)...	No me importa que	¡Ojalá...!	Me extraña que...
Estoy harto/a de que...	Me alegro de que...	Prefiero que...	Me fastidia que el profesor...

Índice

1 Soy rápido, pero esto

VERBOS SER Y ESTAR

Usa *ser:*

NIVEL 1 ➤ TEMA 10

- **Para identificar:**
  - *¿Qué es eso?*
  - *Es un teléfono móvil.*
- **Para la profesión o la nacionalidad:**
  Mi hermana es abogada.
  Somos uruguayas.
- **Para la relación o parentesco:**
  Diego es novio de Carmela.
- **Para las descripciones físicas y las cualidades permanentes:**
  Tus amigas son muy amables.
- **Para la hora y el lugar de un acontecimiento:**
  ¿A qué hora es la clase de español?
  ¿Dónde es el concierto de Shakira?
- **Con *de* para indicar procedencia, posesión o la materia de que está hecho algo:**
  Estos plátanos son de Canarias.
  Esa bolsa es de Graciela.
  Ese reloj es de oro.

NIVEL 1 ➤ TEMA 15
NIVEL 2 ➤ TEMAS 10, 16 y 23

Usa *estar:*

- **Para la situación de un lugar, objeto y persona:**
  - *¿Dónde están las Islas Malvinas?*
  - *En el Atlántico.*
  Daniela está en clase.
- **Para algunos estados físicos y anímicos temporales: *enfermo, cansado, agotado, resfriado, feliz, triste, contento, aburrido:***
  Hoy estoy un poco cansado.

Cualidades permanentes (= siempre):	Situaciones o cualidades temporales (= ahora):
La nieve es blanca.	*Esta nieve está negra.*
El lugar o la hora de un acontecimiento:	**La situación de una persona, lugar o cosa:**
La fiesta es en casa de Antonio.	*La casa de Antonio está en el barrio de Argüelles.*

En algunos casos el significado del adjetivo es diferente con *ser* o *estar.*

ser malo = ser malvado o de mala calidad.	**estar malo** = estar enfermo o estropeado.
ser bueno = ser bondadoso o de buena calidad.	**estar bueno** = estar sano o tener buen sabor.
ser listo = ser inteligente.	**estar listo** = estar preparado.
ser rico = tener mucho dinero.	**estar rico** = tener buen sabor.
ser moreno = tener el pelo o la piel oscuros.	**estar moreno** = estar bronceado.

Ejercicios

Beatriz

Guille

Maruja y Miki

1. Observa la ilustración y completa las frases con nombres y las formas correspondientes del *Presente de Indicativo* de *ser* o *estar.*

a. *Beatriz está* .... en su habitación.

b. .... en el instituto.

c. .... hermanos.

d. .... mala; .... resfriada.

e. .... en clase de matemáticas.

f. .... morenos y muy altos.

g. .... rubia.

h. .... en la playa.

i. .... muy morenos.

j. .... muy listo.

2. Completa con la forma adecuada del *Presente de Indicativo* de *ser* o *estar*.

a) Este plato *está* sucio.

b) .... agotadas.

c) ¿De dónde .... ?
.... de Cuba.

d) ¿Cómo .... ?
Bien, gracias.

e) Las tiendas .... cerradas.

f) ¿Qué .... eso?
.... un miniordenador.

h) Esta hamburguesa .... muy rica.

g) .... chinas.

i) .... malo.

3. Completa las frases con las formas correspondientes del *Presente de Indicativo* de *ser* o *estar.*

a. Mis gafas ....son.... de metal.

b. Tamara y yo .... buenos amigos.

c. Mi reloj .... muy barato.
.... de plástico.

d. ¿A qué hora .... la película?

e. Los padres de Diego .... dentistas.

f. ¿ .... listos ustedes? Es hora de marcharse.

g. - ¿Dónde .... la fiesta de Paula?
• .... en la discoteca Marcha.
- ¿Y dónde .... ?
• .... muy cerca de aquí.

h. ¿De dónde .... estos mangos?

i. Ten cuidado. Ese perro .... muy malo. Muerde.

j. - ¿De quién .... ese patinete?
• .... de Pablito.

k. - ¿Por qué .... contento, Pierre?
• Porque .... cerrado el colegio.

l. Cuidado. Esa silla .... rota.

m. - ¿Cómo .... usted hoy, don Agustín?
• .... bien, gracias.

n. - ¿Dónde .... tus tíos?
• En Caracas.

4. Completa con la forma adecuada del *Presente de Indicativo* de *ser* o *estar.*

a

¿De dónde ....sos.... ?

.... de Cuba.

b

¿Cómo .... hoy, chicos?

.... bien, gracias.

c

¿ .... militar?

No, ... portero de un cine.

d

¿ .... hermanas?

No, ... amigas.

2 Te lo regalo

PRONOMBRES PERSONALES DE COMPLEMENTO

A. Pronombres personales de complemento directo

SINGULAR	**me** (a mí)	**te** (a ti)	**lo**, **le** (a él) **la** (a ella) **lo** (a un objeto)	**lo**, **le** (a usted, masculino) **la** (a usted, femenino)
PLURAL	**nos** (a nosotros/as)	**os** (a vosotros/as)	**los**, **les** (a ellos) **las** (a ellas) **los** (objetos)	**los**, **les** (a ustedes, masculino) **las** (a ustedes, femenino)

A mis padres es un complemento directo. _Los_ se usa en lugar del complemento directo.

Quiero a mis padres. Los quiero mucho.

B. Pronombres personales de complemento indirecto

SINGULAR	**me** (a mí)	**te** (a ti)	**le** (a él, a ella)	**le** (a usted, masculino, femenino)
PLURAL	**nos** (a nosotros/as)	**os** (a vosotros/as)	**les** (a ellos, a ellas)	**les** (a ustedes, masculino, femenino)

En estas frases, a *Graciela* y a *sus amigos* son complementos indirectos. *Le* y *les* se usan en lugar de los complementos indirectos.

Iván no regaló nada a Graciela, pero Noemí le regaló un CD de Maná.

Santi dijo adiós a sus amigos y les dio muchos besos.

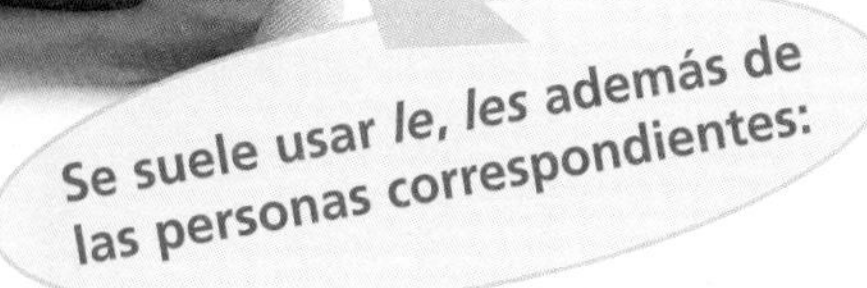

- **Cuando mencionas a esas personas por primera vez:**

  La semana pasada le dejé mi bici a João.
  Salma les regala muchas cosas a sus amigos.

Pronombres de complemento indirecto		**+ Pronombres de complemento directo**
me (a mí) te (a ti) se (a usted, a él/ella, a un objeto) nos (a nosotros/as) vos (a vosotros/as) se (a ustedes, a ellos/as, a objetos)	+	lo, la, los, las

– ¿Dejas el diccionario a tus compañeros?
• Sí, se lo dejo.

El diccionario es un complemento directo. *A tus compañeros* es un complemento indirecto. *Lo* se usa en lugar del complemento directo, y *se* en lugar del complemento indirecto.

Usa *se* además de la persona correspondiente:

- **No se usa *le* para el complemento indirecto cuando va seguido de *lo, la, los, las*:**

  ~~Le~~ lo dejo. ➧ Se lo dejo.

- **Cuando menciones a la persona por primera vez:**

  – ¿Dónde está el monopatín?
  • Se lo he dejado a Vanesa.

- **Usa *a mí, a ti, a él...* además de los pronombres complemento para contrastar o dejar claro de quién hablas:**

  Ayer vi a Rafa en el parque, pero él no me vio a mí.
  Valeria me regaló un libro, pero yo no le regalé nada a ella.

Ejercicios

1. Lee la lista de tareas y completa las respuestas de Patricia.

a. ¿Has recogido tu habitación? *Sí, la he recogido.* ....

b. ¿Has acabado el trabajo de historia? *No, no* ....

c. ¿Has hecho los deberes de francés? ....

d. ¿Has devuelto los libros a la biblioteca? ....

e. ¿Has comprado los pasteles? ....

f. ¿Has comprado los bocadillos? ....

g. ¿Has comprado las bebidas? ....

h. ¿Has comprado las patatas fritas? ....

TAREAS PARA HOY

Recoger habitación. ✓
Acabar trabajo de historia. ✗
Hacer deberes de francés. ✗
Devolver libros. ✓
Comprar para fiesta:
pasteles ✓
bocadillos ✗
bebidas ✗
patatas fritas ✓

2. Completa con el pronombre complemento directo adecuado.

3. ¿Qué se han regalado para Reyes? Sigue las líneas y completa los diálogos con las palabras del recuadro.

una cámara digital ❖ una figura ❖ un dibujo ❖ un 'discman' ❖ un libro
un monopatín ❖ un ordenador portátil ❖ un vídeo ❖ un videojuego
unos CD ❖ unos pendientes

a. Gregorio: ¿Qué ....*te*.... han regalado tus padres, Rafa?

Rafa: .... han regalado ....

b. Fernando y Rosa: Iñaki .... ha regalado ...., y nosotros .... hemos regalado .... a él.

c. Josefa: ¿Qué .... has regalado a tus padres, Belén?

Belén: .... he regalado .... y ellos .... han regalado ....

d. Fernando: ¿Qué .... ha regalado Iñaki?

Gregorio y Josefa: .... ha regalado ....

e. Rosa: ¿Qué .... han regalado los abuelos a los niños?

Fernando: A Iñaki .... han regalado ...., a Belén .... han regalado .... y a Rafa .... han regalado ....

f. Josefa: ¿Qué .... ha regalado Rafa?

Fernando y Rosa: .... ha regalado ....

g. Gregorio: ¿Qué .... ha regalado Iñaki, Rafa?

Rafa: .... ha regalado ....

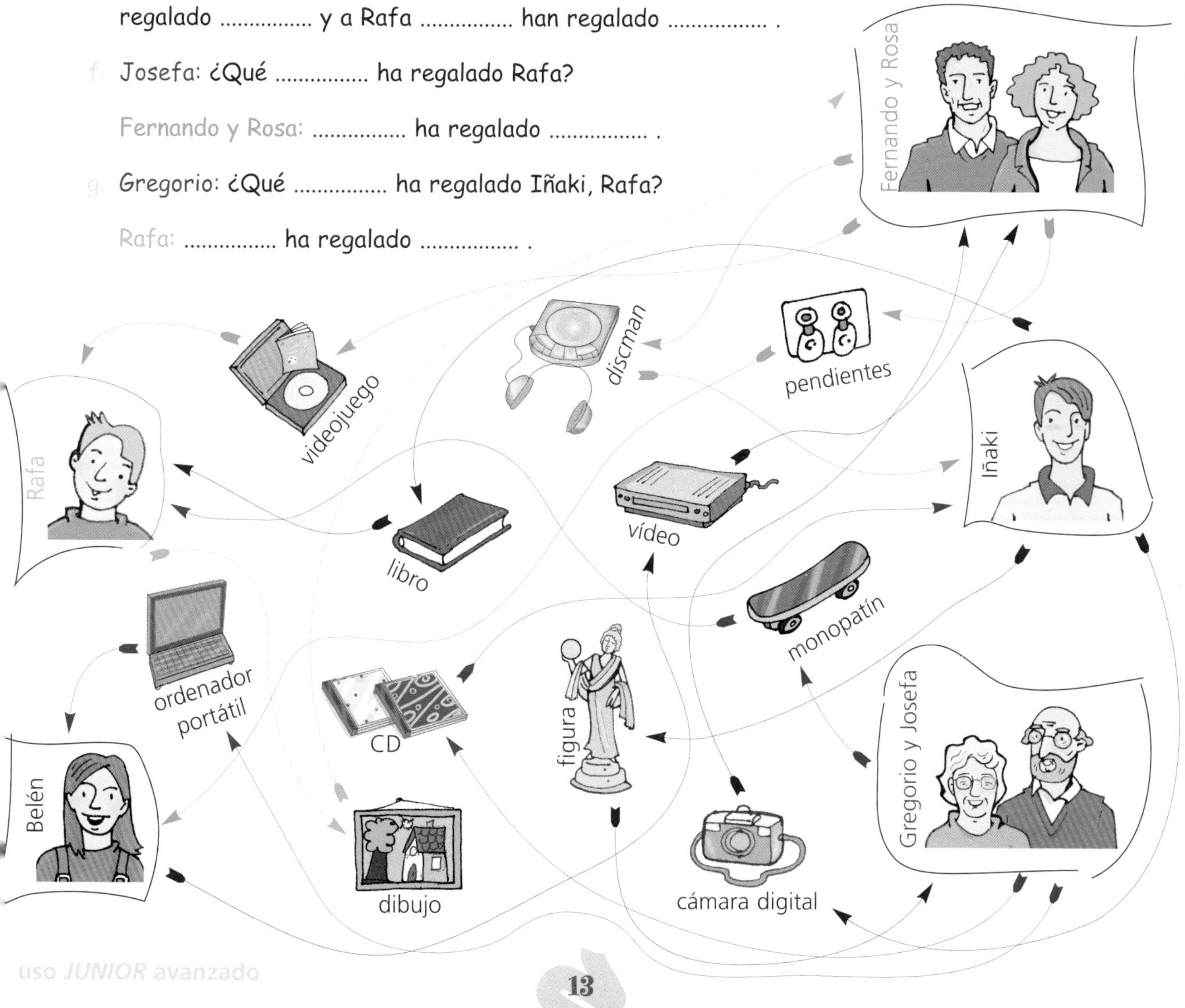

Fernando y Rosa
videojuego
discman
pendientes
Rafa
Iñaki
libro
vídeo
monopatín
ordenador portátil
CD
figura
Gregorio y Josefa
Belén
dibujo
cámara digital

4. Completa con el pronombre adecuado.

a. Estoy resfriado y el médico ....me.... ha recetado un jarabe.

b. Hoy la profesora .... ha preguntado a todos nosotros.

c. ¿Qué .... ha dicho ese señor, Fermín?

d. Los padres de Elena .... han dado permiso para la excursión.

e. Nelson .... deja la bici a sus amigos.

f. ¿Por qué no .... ha dicho la verdad a José?

g. Pierre y Erika quieren que .... enseñe español.

h. ¿Qué .... ha preguntado esa señora, niños?

i. .... han comprado una cámara de vídeo a mi hermana y a mí.

j. ¿ .... das tu teléfono, Margarita?

5. Completa las respuestas.

a. ¿Me dejas el rotulador? — No, ...no te lo.... dejo.

b. ¿Has devuelto el rotulador a Ángel? — Sí, ... he devuelto.

c. ¿Has preguntado la duda al profesor? — No, ... he preguntado.

d. ¿Nos ha traído Abel los regalos? — Sí, ... ha traído.

e. ¿Has prestado tu raqueta a Martina? — Sí, ... he prestado.

f. ¿Te ha devuelto Flor el dinero? — Sí, ... ha devuelto.

g. ¿Os ha corregido el profesor los ejercicios? — Sí, ... ha corregido.

h. ¿Le ha dado a usted Juan su dirección? — No, ... ha dado.

i. ¿Te ha presentado a sus amigos? — No, ... ha presentado.

j. ¿Me ha corregido usted los ejercicios? — Sí, ... he corregido.

6. Completa con los pronombres personales correspondientes y *a mí, a ti...*

a. Yo ayudo a Marta, pero ella no ...me... ayuda ...a mí...

b. Juan le deja sus cosas a Guille, pero Guille no .... deja sus cosas ....

c. Ayer .... vi .... en el parque, pero ustedes no .... vieron ....

d. Luci no quiere a Germán, pero Germán .... quiere ....

e. - ¿A usted .... ha visto el médico?

• No, ... no .... ha visto.

f. - ¿ .... ha dicho algo Keiko?

• No, ... no .... ha dicho nada.

g. - Ana, Isa, ¿ .... ha enseñado Sandra su nuevo ordenador?

• .... ha enseñado a Marcos, pero .... no .... ha enseñado.

h. - ¿ .... ha dado Pedro su teléfono a ustedes?

• .... no .... lo quiere dar.

7. Completa con *la, le, lo, las, les, los* o *se.*

a. João ...le... ha regalado un libro a Carmen.

b. - ¿Me dejas el sacapuntas?

• .... he dejado a Carlos.

c. ¿Qué .... ha dicho a tus amigas?

d. - ¿Quieres este lápiz?

• No, gracias, no .... quiero.

e. ¿Dónde están las llaves del cajón? No .... encuentro.

f. - ¿ .... has regalado ese CD a Ronaldo?

• No, ... he vendido.

g. - ¿Me dejas tus apuntes?

• .... he dejado a Isabel.

h. - ¿Viste a José en la fiesta?

• No, no .... vi.

i. - ¿ .... has entregado tu trabajo a la profesora?

• Sí, ... he entregado.

j. - ¿ .... ha dado Pedro su regalo?

• .... ha dado a mi madre.

k. - ¿Has comprado el libro?

• Si, ... compré ayer.

3 Díselo a Javi

*Esa plancha está caliente. No **la** toques.*

*Toma. Es para ti. Ábre-**lo**.*

*Mañana hay un examen. Decíd**selo** a vuestros compañeros.*

*Pregúnte**me** a mí. Sé la respuesta.*

*Es un secreto. No **se lo** digas a Javi.*

IMPERATIVO + PRONOMBRES DE COMPLEMENTO

Pronombres de complemento directo	
Afirmativa	Negativa
Verbo – me/lo/la/nos/los/las	**no + me/lo/la/nos/los/las + Verbo**
Hay un paquete para ti. Ábrelo. *Necesito ayuda. Ayudadme, por favor.*	*Ese paquete es para Isabel. No lo abras.* *No me ayudéis. Quiero hacerlo solo.*

Pronombres de complemento indirecto	
Verbo – me/le/nos/les	**no + me/le/nos/les + Verbo**
Sara sabe la respuesta. Pregúntale a ella.	*Sebastián no sabe hacer el problema.* *No le preguntes.*
Mamá, tenemos hambre. Danos chocolate.	*No nos des queso. No nos gusta.*

Pronombres de complemento indirecto y directo	
Verbo – me/se/nos/se – lo/la/los/las	**no + me/se/nos/se + lo/la/los/las + Verbo**
El domingo hago un fiesta. Decídselo a Graciela.	*No se lo digáis a Sebastián.*
– ¿Quién quiere esta galleta? *• Yo la quiero. Dámela a mí.*	*No se la des a Alejandro.*

Verbos con *se* + complemento directo	
Verbo – te/se/os/se – lo/la/los/las	**no + te/se/os/se + lo/la/los/las + Verbo**
Tienes las manos sucias. Lávatelas.	*Esa camisa está rota. No te la pongas.*

Ten cuidado con las tildes:

Abre ➧ *Ábrelo*

Pregunte ➧ *Pregúnteme*

Dime ➧ *Dímelo*

NIVEL 1 ➤ TEMAS 23 y 24
NIVEL 2 ➤ TEMAS 18, 19 y 20
NIVEL 3 ➤ TEMA 2

Recuerda que el *Imperativo* se usa:

- **Para ordenes e instrucciones:**
  Guárdelo en un lugar frío.
- **Para consejos o sugerencias:**
  Este libro es muy interesante. Léedlo.
- **Para invitaciones o peticiones:**
  La puerta está abierta. Ciérrala, por favor.
- **Para advertencias:**
  Ese cable tiene electricidad. No lo toques.
- **Para dar o negar permiso:**
  – ¿Puedo usar tu diccionario?
  • Sí, claro. Úsalo.

  – ¿Podemos hacer el crucigrama del periódico?
  • No, no lo hagáis. Le gusta hacerlo a papá.

Ejercicios

1. Sustituye las palabras señaladas por pronombres. Ten cuidado con las tildes.

a. Abre esa ventana. ....*Ábrela*........... .

b. No cierres la puerta. ....*No la cierres*........... .

c. Coged los libros. ....

d. Pregunten a esa chica. ....

e. Da un caramelo a tu amigo. ....

f. Pregunte a Miguel y a mí. ....

g. No dejes el rotulador a Sara. ....

h. No dejes los apuntes a Miguel. ....

i. Diga el secreto a Sara y a mí. ....

j. Presta la guitarra a Sebastián. ....

2. Completa las órdenes o sugerencias.

3. Los alumnos hacen sugerencias a la profesora. Completa sus respuestas.

a. Profesora, ¿limpio la pizarra? Sí, límpiala, gracias.

b. ¿Abro la ventana? No, no la abras . Hace frío.

c. ¿Enciendo la luz? Sí, ... No se ve bien.

d. ¿Reparto los exámenes? Sí, ...

e. ¿Recojo los exámenes? No, ... todavía.

f. ¿Escribo la fecha en la pizarra? No, ...

g. ¿Hacemos los ejercicios en el libro? No, ... en el libro. .... en una hoja.

4. Aconseja a tus amigos.

a. ¿Invito a Fidel a mi fiesta? Sí, invítale . Es muy simpático.

b. ¿Le dejo la bici a Roberto? No, ... No sabe montar.

c. ¿Les digo la verdad a mis padres? Sí, ... Es mejor.

d. ¿Le regalo algo a la profesora? Sí, ... un libro. Le gusta mucho leer.

e. ¿Le compramos este CD a Sara? No, ... No le gusta ese tipo de música.

f. ¿Me pongo esta gorra? Sí, ... Es muy bonita.

5. ¿Qué dicen estas personas? Utiliza los verbos señalados en afirmativa o negativa.

beber ❖ contar ❖ copiar ❖ dar ❖ dejar
devolver ❖ escuchar ❖ estropear ❖ hacer

a. Esta leche está mala. *No os la bebáis* .

b. Es un disco muy bueno. ....

c. ¿Puedo hacer una llamada? Sí, claro. ....

d. Te voy a contar un secreto, pero .... a Ramón.

e. Tened cuidado con los ordenadores. ....

f. ¿Es vuestro este balón? Sí, ..., por favor.

g. Tengo un vídeo de Ricky Martin. ...., por favor.

h. Escuchad las preguntas y ....

i. ¿Podemos darle comida a los monos? No, ... nada. Está prohibido.

6. David quiere hacer una tortilla de patatas y le pide ayuda a Clara. Completa las instrucciones de Clara.

a. ¿Qué hago con las patatas? *Pélalas* y .... (pelar, cortar).

b. ¿Qué hago con los huevos? .... (batir).

c. ¿Qué hago con las patatas cortadas y el huevo? .... (mezclar).

d. ¿Qué hago con la sal? .... a la mezcla (echar).

e. ¿Qué hago con el aceite? .... en una sartén y .... (poner, calentar).

f. ¿Qué hago con la mezcla ahora? .... a la sartén y .... por un lado (echar, freír).

g. ¿Qué hago con la tortilla ahora? .... la vuelta y .... por el otro lado (dar, freír).

h. ¿Qué hago ahora con la tortilla? .... de la sartén y .... en un plato (sacar, poner).

4 ¿Qué haces el domingo?

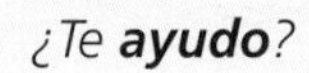

¿Te **ayudo**?

Gracias.

¿Qué **haces** los fines de semana?

Los sábados **salgo** con mis amigas, pero los domingos **no hago** nada. **Me quedo** en casa.

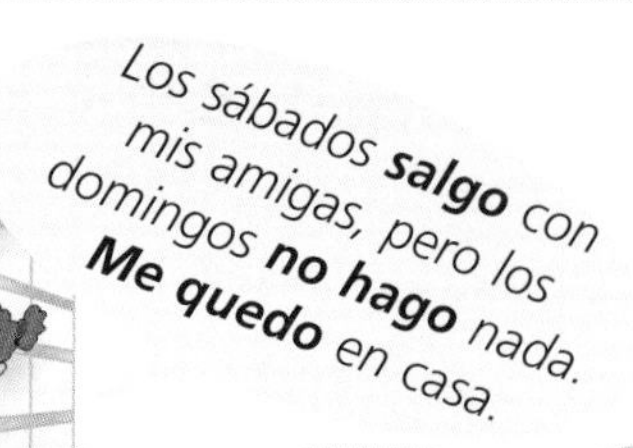

¿Qué h**aces** este domingo?

¿**Vamos** al cine?

Nada, no **tengo** planes.

Bueno.

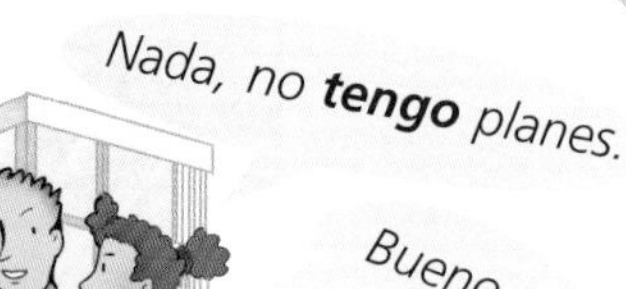

¿**Haces** algún deporte?

Nado y a veces **juego** al baloncesto.

¿Qué **hace** tu padre?

Trabaja en un zoológico. **Es** veterinario.

Hola, papá. ¿Qué **haces**?

Las tortugas marinas **hacen** un agujero en una playa y **ponen** allí sus huevos...

Estoy viendo un documental.

PRESENTE DE INDICATIVO: USOS

Usa el *Presente de Indicativo*:

- **Para situaciones permanentes del presente:**
  El hermano de Clara estudia en la Universidad Autónoma.

- **Para verdades generales o universales:**
  Los avestruces no vuelan.

- **Para costumbres o acciones que hacemos con cierta regularidad o que no hacemos:**
  Los martes voy a clase de piano.
  No bebemos alcohol.

  Se suelen usar expresiones de frecuencia como *a menudo, normalmente, nunca, todas las tardes, dos días a la semana,* etc. (Nivel 2, Tema 14).
  Olga no va nunca a bailar.

- **Para acciones que suceden en el momento de hablar:**
  No te oigo. Habla más alto, por favor.

- **Para hacer sugerencias y ofrecer ayuda:**
  ¿Llamamos a Clara?

PRESENTE DE INDICATIVO: FORMAS ➤ Página 128

NIVEL 1 ➤ TEMAS 17, 18, 19, 21 y 22
NIVEL 2 ➤ TEMAS 11, 12 y 13

- **Para acciones futuras ya programadas o referidas a horarios:**

  - *¿Qué haces esta noche?*
  - *Voy al cine con Olga y Carmen.*

  - *¿A qué hora empieza la película?*
  - *A las ocho y media.*

Se suele indicar el momento futuro con expresiones como *esta noche, mañana, el/este domingo, el lunes (que viene)*, etc.

Mañana jugamos contra el Centro Deportivo.

Usa *estoy + gerundio*:

- **Para acciones que suceden en el momento de hablar:**

  Mira, Abel está haciendo un castillo de arena.

Compara

Normalmente... *La madre de María hace deporte todos los días.*

Ahora... *Ahora está haciendo aeróbic.*

Pero no se suele usar *estoy + gerundio* con los siguientes verbos: amar, conocer, entender, ir, necesitar, odiar, preferir, querer, tener, venir.

Compara

Normalmente... *Necesito dormir ocho horas al día.*

Ahora... *Necesito un bolígrafo. El mío no tiene tinta.*

Ejercicios

1. Completa el texto sobre Germán y su familia. Utiliza los verbos señalados.

llamarse ❖ presentar

Hola, ...me llamo.......... Germán y os ....presento.......... a mi familia.

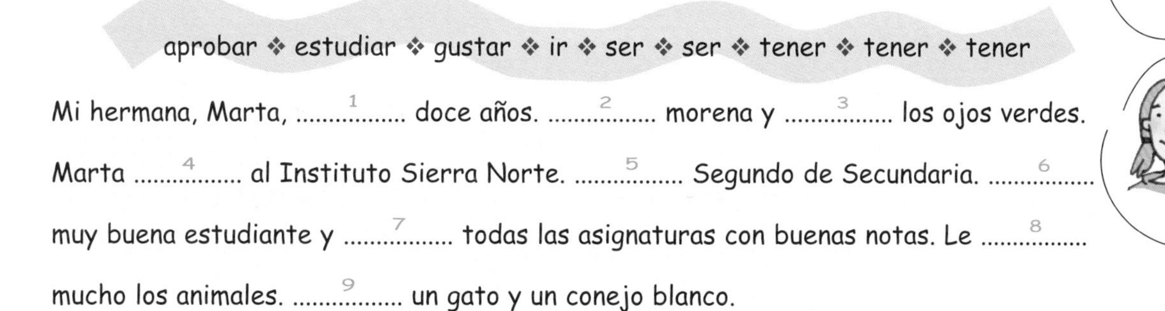

aprobar ❖ estudiar ❖ gustar ❖ ir ❖ ser ❖ ser ❖ tener ❖ tener ❖ tener

Mi hermana, Marta, ...1....... doce años. ....2....... morena y ....3....... los ojos verdes. Marta ....4....... al Instituto Sierra Norte. ....5....... Segundo de Secundaria. ....6....... muy buena estudiante y ....7....... todas las asignaturas con buenas notas. Le ....8....... mucho los animales. ....9....... un gato y un conejo blanco.

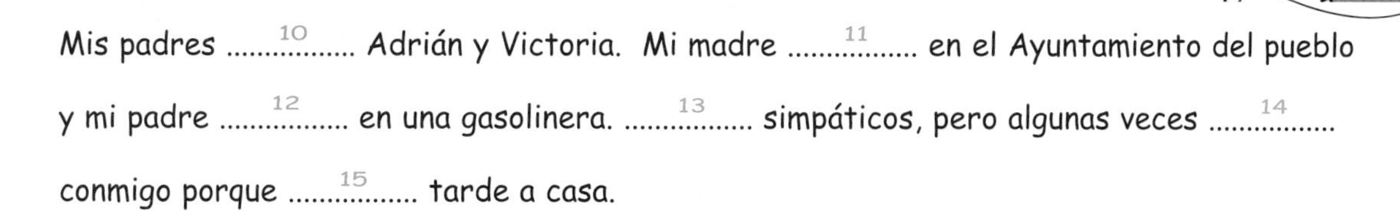

enfadarse ❖ llamarse ❖ llegar ❖ ser ❖ trabajar ❖ trabajar

Mis padres ....10....... Adrián y Victoria. Mi madre ....11....... en el Ayuntamiento del pueblo y mi padre ....12....... en una gasolinera. ....13....... simpáticos, pero algunas veces ....14....... conmigo porque ....15....... tarde a casa.

estar ❖ estudiar ❖ hacer ❖ ir ❖ jugar ❖ tener

Yo ......16...... quince años. ......17...... Cuarto de Secundaria en el mismo instituto que mi hermana. Como el instituto ......18...... en otro pueblo, ...19...... juntos en autobús. ......20...... al fútbol-sala en el equipo del instituto, y dos veces a la semana ......21...... kárate en el gimnasio de mi pueblo.

divertirse ❖ jugar
reunirse ❖ tener
hacer ❖ ir

......22...... muchos amigos. ......23...... mucho juntos. En invierno ......24...... en casa de alguno y ......25...... con la videoconsola. En verano ......26...... a la piscina o ......27...... excursiones por el campo.

2. Completa los textos con los verbos siguientes en la forma correcta.

acostumbrarse ❖ alimentarse ❖ comunicarse ❖ dar ❖ gustar ❖ medir ❖ nadar
vivir ❖ poder ❖ respirar ❖ seguir ❖ ser ❖ ser ❖ tener ❖ vivir ❖ vivir

a. Los delfines ......*viven*...... en el agua, pero ......2...... mamíferos. ......3...... por un agujero que tienen en la parte superior de la cabeza, pero ......4...... estar hasta 15 minutos bajo el agua. ......5...... en mares templados y cálidos. Los delfines ......6...... hasta 3 metros. ......7...... a gran velocidad, hasta 63 km/h y ......8...... saltos de hasta 7 metros.
Los delfines ......9...... el cerebro muy desarrollado y ......10...... muy sociables. ......11...... en grupos de hasta varios cientos y ......12...... entre sí con un sistema de comunicación especial. ......13...... de peces.
A los delfines les ......14...... la compañía del hombre. Con frecuencia ......15...... a los barcos y ......16...... fácilmente a vivir en zoológicos.

ser ❖ alimentarse ❖ aprender ❖ comer ❖ esconderse ❖ irse ❖ nacer ❖ pesar
ser ❖ significar ❖ tener ❖ trepar ❖ usar ❖ utilizar ❖ vivir ❖ vivir

b. Los chimpancés ......1...... en las selvas tropicales en pequeños grupos de unos diez individuos a las órdenes de un macho. Las hembras ......2...... unas 9 crías a lo largo de su vida. Las crías ......3...... a los 8 meses de gestación y ......4...... entre 1 y 2 kilos. Las hembras ......5...... con su madre hasta los 8 años; luego ......6...... a otro grupo.
Los chimpancés ......7...... muy ágiles y ......8...... a los árboles en caso de peligro. ......9...... también muy hábiles con las manos y ......10...... a construir herramientas que ......11...... para coger hormigas. ......12...... de vegetales, aunque también ......13...... insectos y carne.
Los chimpancés ......14...... un sistema de gritos para comunicarse. Por ejemplo, un tipo de grito ......15...... 'peligro en el aire'; entonces, ...16...... debajo de los árboles.

3. Hoy es domingo 20 de octubre. Lee el diario de Sofía para la semana que viene y responde a la pregunta de su amigo.

cenar ❖ hacer ❖ ir ❖ jugar ❖ salir ❖ tener ❖ tener ❖ ser

Lunes 21	*examen de historia*	***Jueves 24***	*clase de piano*
Martes 22	*cumpleaños de abuela, cena en casa de abuela*	***Viernes 25***	*salir con Pep y Marcos*
		Sábado 26	*cine con Charo*
Miércoles 23	*partido contra Olímpico F.C.*	***Domingo 27***	*excursión a la sierra*

¿Podemos quedar esta semana?

Esta semana estoy muy ocupada:

a. El lunes ***tengo un examen de historia*** .

b. El martes ....

c. ....

d. ....

e. ....

f. ....

g. ....

4. Este grupo de amigos está aburrido. ¿Qué sugerencias hacen? Usa los verbos siguientes.

alquilar ❖ dar ❖ hacer ❖ ir ❖ jugar ❖ navegar

a) ¿ ***Vamos*** ...... al cine?

b) ¿ .... al fútbol?

c) ¿ .... una fiesta?

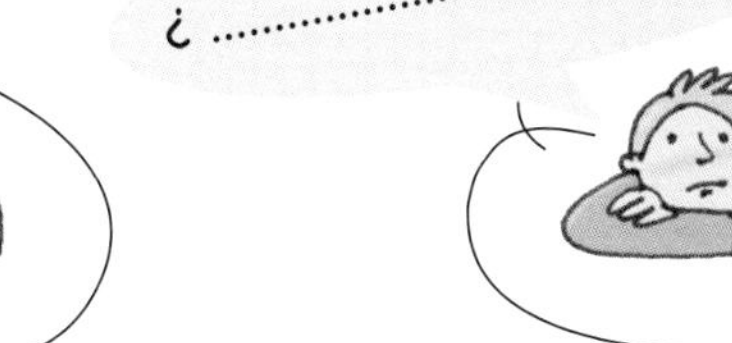

d) ¿ .... una vuelta en bicicleta?

e) ¿ .... un vídeo?

f) ¿ .... por Internet?

5. La familia Carranza está de vacaciones. Mira el programa que les ha preparado la agencia para un fin de semana en Barcelona y completa el diálogo.

VIERNES
16:00 Salida de Madrid
22:00 Llegada a Barcelona
Cena y noche en hotel

SÁBADO
10:00 Museo Picasso
11:30 Catedral
14:00 Comida en hotel
Tiempo libre
22:00 Cena en hotel

DOMINGO
10:00 Sagrada Familia
12:00 Parque Güell
14:00 Comida en hotel
Regreso a Madrid
22:00 Llegada a Madrid

llegar ❖ acostarse ❖ cenar ❖ comer ❖ hacer ❖ hacer ❖ ir ❖ llegar
ver ❖ llegar ❖ comer ❖ salir ❖ salir ❖ visitar ❖ visitar

• ¿Cuándo *salen* para Barcelona?
- *Salimos* el viernes a las cuatro.

• ¿Y a qué hora .... ?
- .... sobre las diez.

• ¿Qué .... el viernes por la noche?
- Nada. .... en el hotel y luego ....

• ¿Y qué .... el sábado?
- El sábado a las 10:00 .... al Museo Picasso y más tarde, a las 11:30, ... la Catedral.

• ¿Y dónde .... ?
- .... en el hotel, a las dos.

• ¿Y cuándo .... la Sagrada Familia?
- El domingo por la mañana. Primero .... la Sagrada Familia y luego el Parque Güell.

• ¿A qué hora .... a Madrid?
- A las diez.

6. Observa las situaciones y ofrece ayuda. Usa las expresiones siguientes.

abrir la puerta ❖ ayudar con los ejercicios
cerrar la ventana ❖ coger el balón ❖ ir a la compra
llevar las bolsas

a. *¿Le abro la puerta?*

b. ....

c. ....

d. ....

e. ....

f. ....

7. Observa las ilustraciones y completa las frases.

a. Lali ....es......... estudiante. .... Económicas. Ahora .... en una fiesta.

b. Mis padres .... profesores. Mi padre .... matemáticas y mi madre .... geografía. Ahora .... por el campo.

c. Sabina .... cocinera. .... en un restaurante. Ahora .... a caballo.

montar
ser
trabajar

d. Yo .... mecánico. .... en un garaje y .... motos y coches. Ahora .... en una carrera de motos.

correr
ser
trabajar
arreglar

8. Completa los diálogos con los verbos entre paréntesis en *Presente de Indicativo* o *estoy + gerundio.*

a. - ¿Qué ......hacés...... (hacer, vos) el sábado?
  • .... (ir, yo) a una fiesta en casa de Javi.

b. - ¿Qué .... (hacer, ustedes)?
  • .... (estudiar, nosotros) para el examen de mañana.

c. - ¿ .... (querer, ustedes) venir al cine?
  • ¿Qué película .... (poner)?

d. ¿Lo .... (entender) ahora, Alberto?

e. - ¿Qué .... (ver, vos)?
  • Un documental sobre Costa Rica.

f. - ¿De dónde .... (venir, vos)?
  • Del cole. Y vos, ¿adónde .... (ir)?
  - A ninguna parte. .... (dar, yo) un paseo.

g. - ¿Qué .... (preferir, ustedes) melón o sandía?
  • Yo .... (preferir) melón. .... (odiar) la sandía.

h. - ¿Adónde .... (ir, ustedes) el domingo que viene?
  • .... (ir, nosotros) a casa de unos amigos.

De pequeño jugaba mucho

*El Plesiosauro **vivía** en el agua y **se alimentaba** de peces. **Tenía** una cola muy corta y un cuello muy largo. Sus dientes **eran** muy afilados.*

PRETÉRITO IMPERFECTO DE INDICATIVO

A. Verbos regulares

	verbos acabados en **-ar**	verbos acabados en **-er, ir**	
	ESTUDIAR	BEBER	ESCRIBIR
(yo)	estudiaba	bebía	escribía
(tú)*	estudiabas	bebías	escribías
(usted)	estudiaba	bebía	escribía
(él, ella)	estudiaba	bebía	escribía
(nosotros/as)	estudiábamos	bebíamos	escribíamos
(vosotros/as)**	estudiabais	bebíais	escribíais
(ustedes)	estudiaban	bebían	escribían
(ellos/as)	estudiaban	bebían	escribían

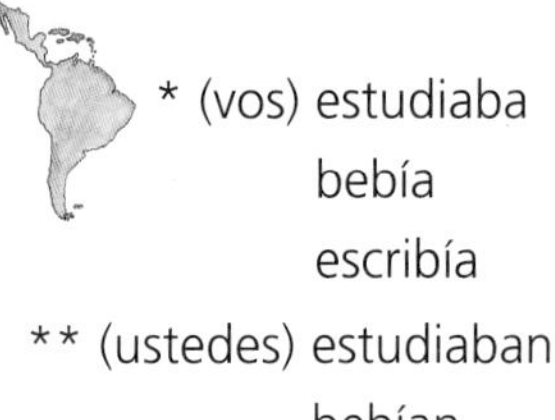

* (vos) estudiaba
bebía
escribía

** (ustedes) estudiaban
bebían
escribían

B. Verbos irregulares

	(yo)	(tu)*	(usted)	(él, ella)	(nosotros/as)	(vosotros/as)**	(ustedes)	(ellos/ellas)
IR	iba	ibas	iba	iba	íbamos	ibais	iban	iban
SER	era	eras	era	era	éramos	erais	eran	eran
VER	veía	veías	veía	veía	veíamos	veíais	veían	veían

* (vos) iba
era
veía

** (ustedes) iban
eran
veían

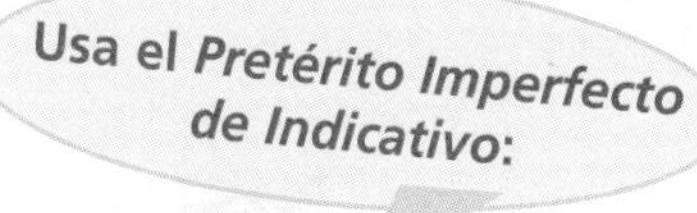

- **Para situaciones del pasado:**
  De pequeño, vivía en un pueblo.

- **Para acciones habituales, del pasado:**
  Cuando mi padre era joven, tocaba la guitarra en un grupo.
  Cuando vivíamos en Málaga, iba a la playa casi todos los días.

- **Para descripciones de personas, animales o cosas del pasado:**
  El mamut tenía dos colmillos enormes.
  Mis abuelos eran muy altos.

Ejercicios

1. Escribe las formas del *Pretérito Imperfecto de Indicativo* de los verbos siguientes.

	estar	comer	vivir	divertirse
(yo)	....	....	....	....
(tú)	....	....	....	....
(usted)	....	....	....	....
(él, ella)	....	....	....	....
(nosotros/as)	....	....	....	....
(vosotros/as)	....	....	....	....
(ustedes)	....	....	....	....
(ellos/as)	....	....	....	....

2 a. Completa las descripciones de estos dinosaurios. Utiliza las palabras señaladas.

alimentarse ❖ caminar ❖ matar ❖ medir ❖ pesar ❖ ser ❖ tener ❖ ser ❖ caminar

a. El T Rex ....*era*.... un dinosaurio muy grande. ....2........ 5 metros de altura y ....3........ hasta 7000 kilos. ....4........ sobre dos patas y ....5........ una cola y unas patas muy fuertes. Sus brazos ....6........ muy cortos. ....7........ lentamente y ....8........ de otros dinosaurios, a los que ....9........ previamente.

comer ❖ tener ❖ tener
vivir ❖ volar ❖ tener

b. El Pteranodón ....1........ unas alas muy grandes, como las de un avión, y ....2........ . ...3........ a orillas del mar o de un lago y ....4........ peces. No ....5........ dientes; ....6........ pico como los pájaros.

2 b. Completa las preguntas.

Adivina el dinosaurio

tener ❖ ser ❖ ser ❖ caminar ❖ comer ❖ tener ❖ vivir ❖ ser

a. ¿ ....*Vivía*.... en tierra? — Sí.

b. ¿ .... muy grande? — No.

c. ¿ .... cuernos? — No.

d. ¿ .... sobre dos patas? — Sí.

e. ¿ .... dientes? — Sí.

f. ¿ .... plantas? — No.

g. ¿ .... muy pequeño? — Sí.

h. ¿ .... el compsognathus? — Sí.

3. ¿Qué recuerdan estos personajes de su infancia y su juventud? Completa las frases con los verbos y expresiones siguientes.

ser
cazar pájaros
divertirse
hacer
hacer ballet
ser
jugar
jugar al baloncesto
jugar con muñecas
montar en bici
ser
montar en moto
tener el pelo largo
tocar en un grupo
viajar
ser

Martínez

Lidia y Aurora

Santiago y Eusebio

Concha

a. Martínez: Yo de joven *montaba en moto* .

b. Concha: ¿A qué .... ustedes de niñas?

Lidia y Aurora: ....

c. Lidia: ¿Qué .... usted de pequeño, Sr. Martínez?

Martínez: ....

d. Martínez: ¿Cómo .... ustedes cuando .... niños?

Santiago y Eusebio: ....

e. Lidia y Aurora: Cuando .... jóvenes .... mucho.

f. Concha: Yo, cuando .... niña, ...

g. Santiago y Eusebio: Nosotros, cuando .... jóvenes, ... y ....

Concha: Pues yo ....

4. Completa este texto sobre los incas. Utiliza los verbos siguientes.

beber ❖ comer ❖ cantar ❖ contar ❖ gustar ❖ hablar ❖ llevar ❖ ser ❖ tener ❖ vivir
ser ❖ llamar ❖ beber ❖ vestir ❖ tener ❖ ser ❖ vestir ❖ usar ❖ ser ❖ ser ❖ llevar

Los incas ....*eran*.... bajos y ....2....... la piel y el pelo oscuros. Las mujeres ....3....... siempre el pelo largo. Los hombres ....4....... unas túnicas cortas y las mujeres ....5....... vestidos largos. Hombres y mujeres ....6....... sandalias.

La mayoría ....7....... en pueblos. Las casas ....8....... pequeñas, aunque las familias ....9....... numerosas. ....10....... únicamente dos veces al día, por la mañana y al final de la tarde. ....11....... maíz y patatas. Normalmente ....12....... agua, aunque en las fiestas ....13....... una especie de cerveza.

Los incas ....14....... quechua. Les ....15....... mucho bailar, y en su tiempo libre ....16....... historias y ....17....... canciones.

Los incas ....18....... muchos dioses. Inti ....19....... el más importante. ....20....... el dios Sol, el padre de los incas. Su mujer ....21....... Mama Quilla, la diosa luna.

5. Encuentra los ocho errores. Utiliza los verbos y expresiones siguientes.

beber ❖ comer ❖ hablar ❖ ir ❖ jugar
llevar ❖ montar ❖ tener

al ajedrez ❖ al cine ❖ cola ❖ en moto ❖ español
hamburguesas ❖ televisión ❖ vaqueros

a. ....*Los incas no bebían cola*..........,
b. ....,
c. ....,
d. ....,
e. ....,
f. ....,
g. ....,
h. ....

6. ¿Eres un buen detective? Observa estos restos de una civilización desaparecida y deduce cómo eran y cómo vivían. Usa las palabras de los recuadros.

comer
construir
jugar
llevar
ser
tener
tocar
ser
llevar
comer
llevar
haber

a. altas y delgadas
b. bajos y gordos
c. barba
d. bongos
e. faldas cortas
f. fútbol
g. pirámides
h. mercados
i. sandía
j. pollo asado
k. vestidos largos

a. Las mujeres *eran altas y delgadas* .
b. Los hombres ....
c. ....
d. ....
e. ....
f. ....
g. ....
h. ....
i. ....
j. ....
k. ....

7. Completa los diálogos con los verbos entre paréntesis.

a. - ¿Dónde *vivías* (tú, vivir) de pequeño?
- • .... (yo, vivir) en un pueblo de la costa.
- - ¿Y qué .... (tú, querer) ser?
- • .... (yo, querer) ser policía.

b. - ¿En qué .... (trabajar) usted en Ecuador?
- • .... (ser) mecánico.
- - ¿Y dónde .... (vivir)?
- • .... (vivir) en Guayaquil.

c. - ¿ .... (vosotros, ir) mucho al cine de pequeños?
- • Sí, ... (nosotros, ir) todos los domingos.

d. - Cuando .... (yo, ser) joven, no .... (salir) mucho.
- • ¿Y qué .... (tú, hacer) en casa?
- - .... (ver) la televisión. .... (leer) tebeos, cosas así.

e. - ¿ .... (ver) usted mucho la televisión de pequeña, Doña. Joaquina?
- • Cuando yo .... (ser) pequeña, no .... (haber) televisión.

Estábamos bailando cuand

Estábamos bailando... *cuando entró la profesora.*

ESTABA + GERUNDIO

	Pretérito Imperfecto de estar + gerundio del verbo principal		
(yo)	estaba		
(tú)*	estabas		
(usted)	estaba		estudiando
(él, ella)	estaba	+	bebiendo
(nosotros/as)	estábamos		viviendo
(vosotros/as)**	estabais		
(ustedes)	estaban		
(ellos/as)	estaban		

* (vos) estabas estudiando

** (ustedes) estaban estudiando

- **Formación del gerundio:** NIVEL 1 ➤ TEMA 10
- **Verbos con *se*: ducharse, vestirse,...**

me/te/se/nos/os/se + Pretérito Imperfecto de *estar* + gerundio

Me estaba duchando cuando sonó el teléfono.

Pretérito Imperfecto de *estar* + gerundio – me/te/se/nos/os/se

Estaba duchándome cuando sonó el teléfono.

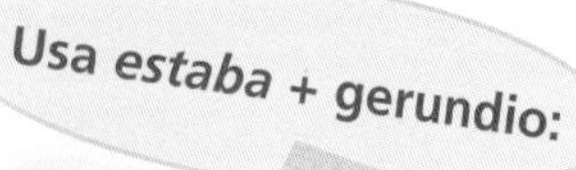

- **Para acciones en desarrollo en cierto momento en el pasado: *ayer a las ocho, cuando me llamó Arturo, etc.***

– ¿Dónde estabas ayer a las ocho?
• En casa. Estaba navegando por Internet.

– ¿Qué estabas haciendo cuando te llamé?
• Me estaba duchando.

¡OJO!
Se usa el Pretérito Indefinido:

- **Para indicar el momento del pasado al que nos referimos:**
  - *– ¿Qué estabais haciendo cuando entró el ladrón?*
  - *• Estábamos durmiendo.*

A veces la acción en desarrollo indica las circunstancias en que se produjo un hecho pasado:

Circunstancias: *estaba* + gerundio	**Hechos: Pretérito Indefinido**
Estaba lloviendo.	*Cogí un paraguas y salí a la calle.*
	Me encontré un billete de 50 euros...
... mientras estaba paseando por el parque.	*Me fui a casa y se los di a mi madre.*

Ejercicios

1. Ayer, a las cinco de la tarde, alguien rompió el reloj del club de jóvenes. El Señor Arroyo, el encargado, quiere saber qué estaban haciendo estas personas ayer a esa hora de la tarde. Utiliza las expresiones del recuadro.

jugar al ajedrez ❖ jugar al ping-pong ❖ jugar a los dardos ❖ leer un tebeo
navegar por Internet ❖ tocar la guitarra ❖ ver la televisión

Juani

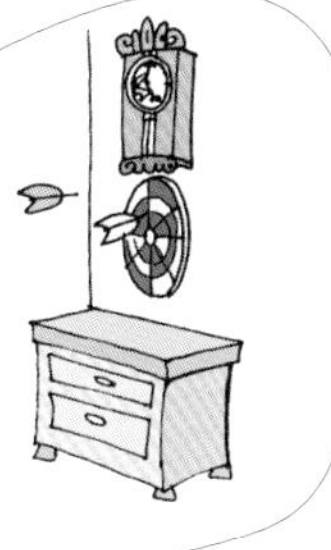
Javi y Yola

Sandra

Marcos

Daniel y María

Señor Arroyo: ¿Qué estabais haciendo ayer a las cinco?

a. Marcos: Yo *estaba viendo la televisión* y Juani ....

b. María: Daniel y yo ....

c. Santi: Yo .... y Sergio e

Isa ....

Isa y Sergio

d. Sandra: Yo ....

Y vosotros, ¿qué estabais haciendo?

e. Yola: Javi y yo ....

Santi

2. **Observa la escena. ¿Qué estaban haciendo los alumnos cuando entró la profesora? Completa los diálogos con las expresiones del recuadro.**

bailar rock
beber un refresco
comer un bocadillo
dibujar en la pizarra
dormir en el pupitre
escuchar música
jugar a las cartas
tirar tizas

a. Santi: ¿Qué ...estabas haciendo... cuando entró la profesora, María?

María: ...Estaba dibujando en la pizarra... .

Santi: Y vosotros, ¿qué .... ?

Daniel y Sergio: ....

b. María: ¿Qué .... Marcos cuando entró la profesora?

Daniel: ....

María: Y Juani y Alfredo, ¿qué .... ?

Daniel: ....

c. Paula: ¿Qué .... cuando entró la profesora, Santi?

Santi: .... ¿Y tú?

Paula: .... y ....

d. Sergio: ¿Qué .... Javi y Gabriela cuando entró la profesora?

Juani: ....

3. **Une las frases con *cuando* o *mientras*.**

a. yo, ducharse
b. nosotros, desayunar
c. nosotros, jugar al fútbol
d. mi padre, dormir
e. yo, encontrar, 10 euros
f. Pablo, ver un accidente

1. pasear por el parque
2. esperar el autobús
3. llegar la policía
4. sonar el teléfono
5. llamar el cartero al timbre
6. empezar a llover

a. *Estaba duchándome cuando sonó el teléfono* .

b. ....

c. ....

d. ....

e. ....

f. ....

4. Algunas personas vieron un OVNI anoche. Completa sus relatos con los verbos entre paréntesis.

a. Cuando *apareció* el OVNI, yo .... (pasear) el perro. .... (tener) miedo y .... (irse) a casa.

b. Yo .... (leer) el periódico cuando .... (ver) el OVNI. .... (llamar) a casa y se lo .... (contar) a mi mujer.

c. Mi hermano y yo .... (montar) en bici por el parque cuando .... (ver) un platillo volante. Mi hermano .... (caerse) de la bici.

d. Anoche .... (ver) un OVNI mientras .... (limpiar) el coche. .... (coger) mi cámara fotográfica y le .... (hacer) una foto.

7 Un perro que juega a

¿Qué es una biblioteca?

Mira. Javi tiene un perro **que** juega al fútbol.

Es un lugar en **el que** puedes leer libros.

¿Quién es tu madre?

La chica **que** está bailando con Óscar es Débora.

***La que** lleva el vestido verde.*

RELATIVOS

Nombre + que + verbo	**Nombre + preposición + el, la, los, las que + (sujeto +) verbo (+ sujeto)**
Me gustan las películas que acaban bien. *Felipe es el chico que lleva la camisa blanca.*	*Nuria es la amiga con la que voy a la piscina.* *Un zoológico es un lugar en el que viven animales.*

Usa que o el, la, los, las que:

- **Para añadir información sobre una persona, un animal o una cosa mencionado anteriormente en la frase:**

Javi tiene un perro. (El perro) Juega al fútbol.
Javi tiene un perro que juega al fútbol.

Un loro es un ave. (Un loro) Puede hablar.
Un loro es un ave que puede hablar.

Javi sale con amigos. (Los amigos) Son peruanos.
Los amigos con los que Javi sale son peruanos.

– ¿Cuál es tu pupitre?
• El (pupitre) que está en el rincón.

– ¿Quienes son tus primos?
• Los (chicos) que están hablando con Asunción.

Ejercicios

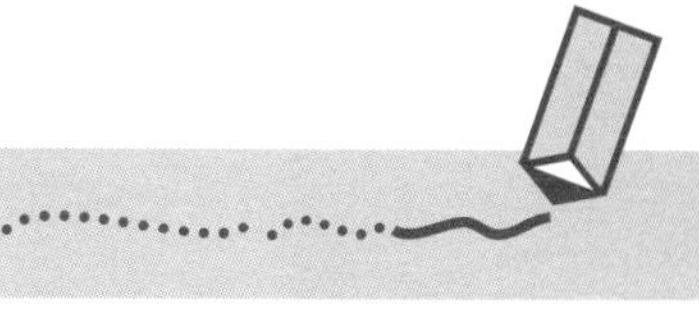

1. Une las palabras y escribe las definiciones. Puedes usar un diccionario.

a. Un vagabundo
b. Una vaca
c. Un ascensor
d. Un empollón
e. Un pacifista
f. Un termómetro
g. Un oso polar
h. Una llama
i. Un astronauta
j. Una sartén

una persona
un animal
un objeto

estudia mucho.
sirve para ir de un piso a otro.
viaja por el espacio.
come hierba.
mide la temperatura.
no trabaja y va de un lugar a otro.
vive en los Andes.
sirve para freír alimentos.
ama la paz.
puede pesar 400 kilos.

a. *Un vagabundo es una persona que no trabaja y va de un lugar a otro* .
b. Una vaca es un animal ....
c. Un ascensor es ....
d. ....
e. ....
f. ....
g. ....
h. ....
i. ....
j. ....

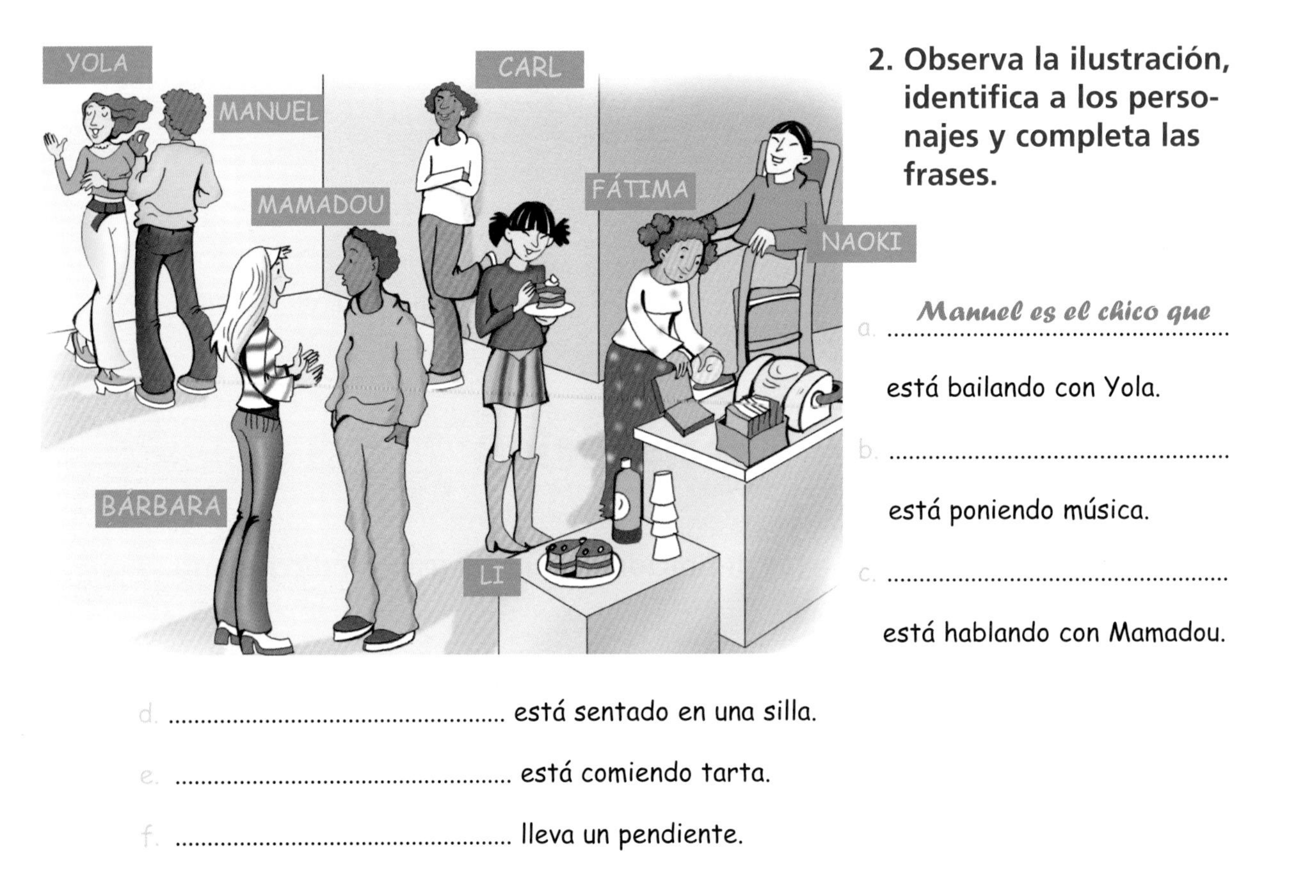

2. Observa la ilustración, identifica a los personajes y completa las frases.

a. *Manuel es el chico que* .... está bailando con Yola.

b. .... está poniendo música.

c. .... está hablando con Mamadou.

d. .... está sentado en una silla.

e. .... está comiendo tarta.

f. .... lleva un pendiente.

3. Un museo sospechoso. Observa la ilustración y completa las frases del guía. Cuidado con las preposiciones en algunas frases.

arco ❖ cama ❖ caña ❖ guitarra ❖ pluma ❖ sandalias

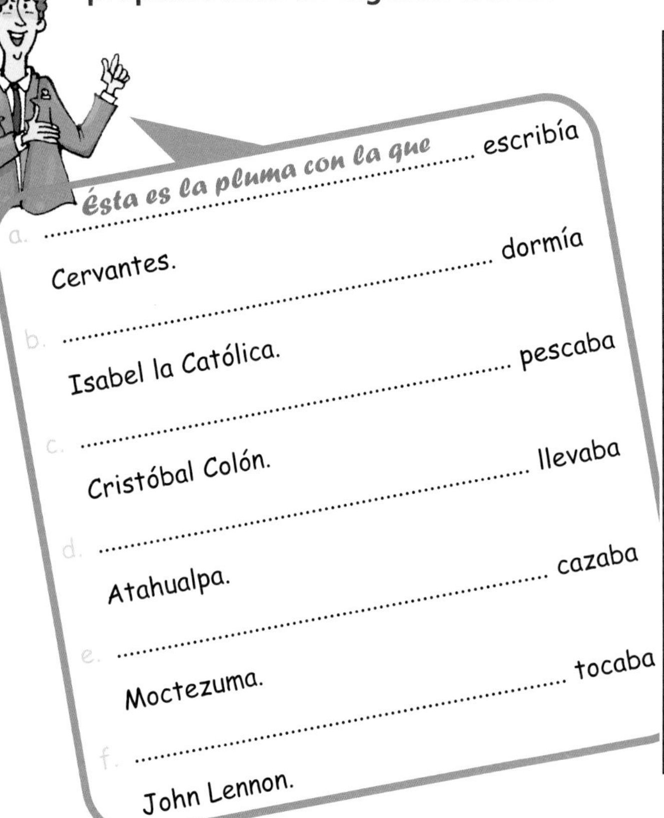

a. *Ésta es la pluma con la que* .... escribía Cervantes.

b. .... dormía Isabel la Católica.

c. .... pescaba Cristóbal Colón.

d. .... llevaba Atahualpa.

e. .... cazaba Moctezuma.

f. .... tocaba John Lennon.

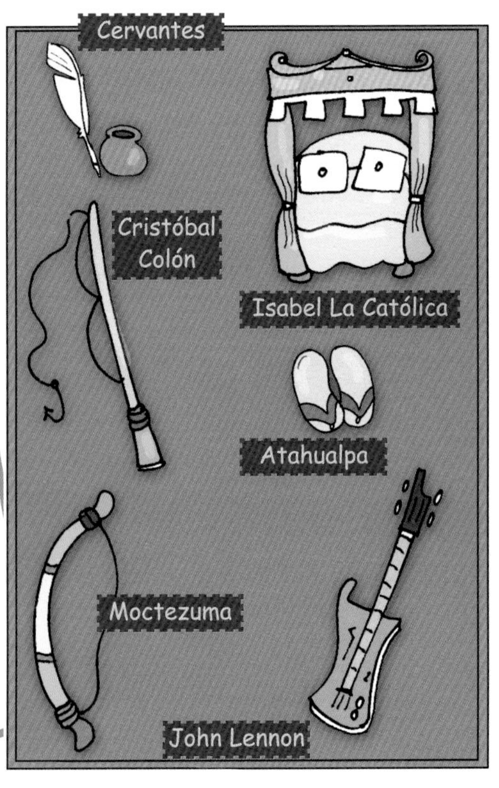

4. Empareja los nombres con las ilustraciones y las frases y escribe las definiciones. Usa 'un lugar' o 'una tienda'.

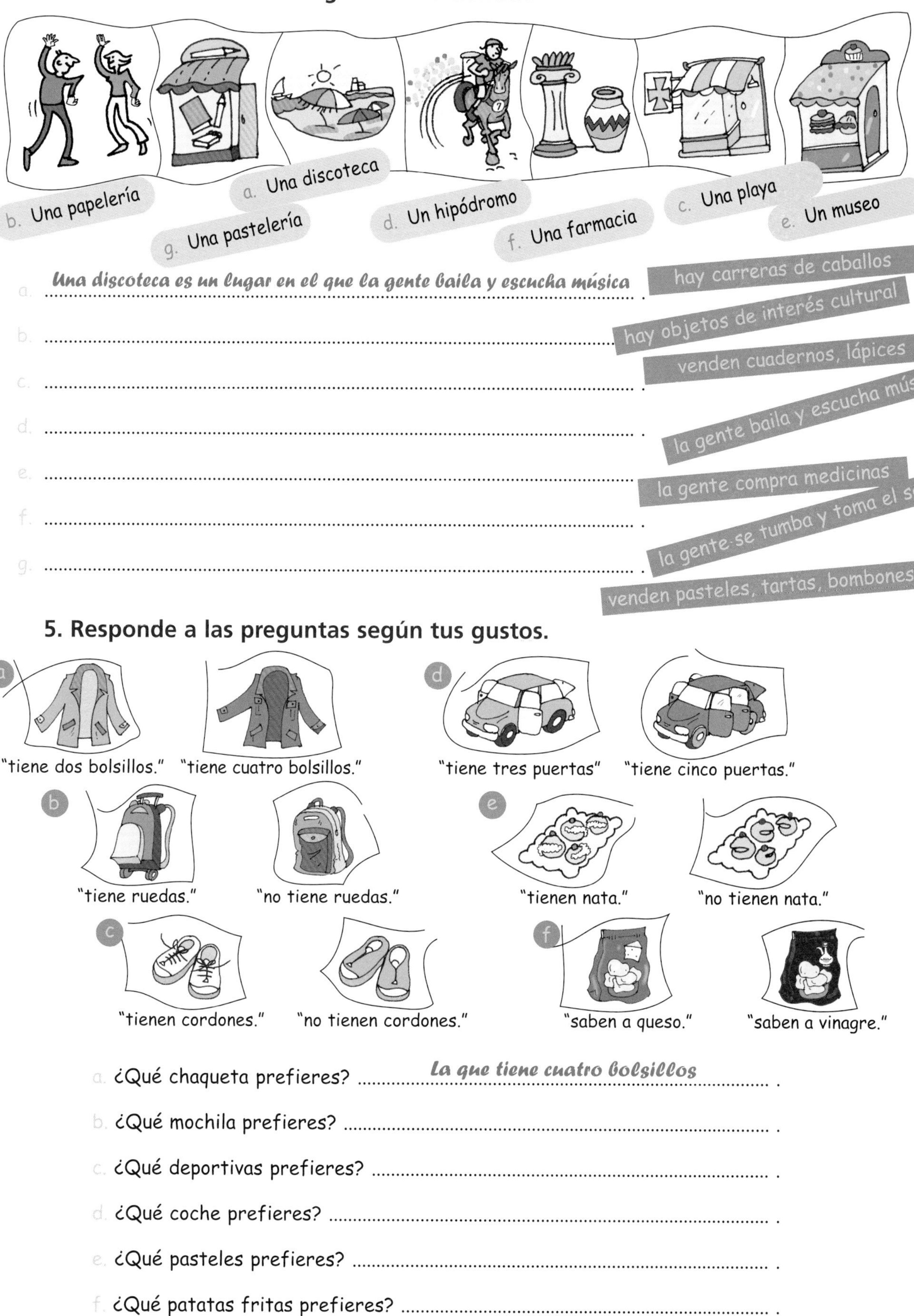

a. *Una discoteca es un lugar en el que la gente baila y escucha música* .

b. ....

c. ....

d. ....

e. ....

f. ....

g. ....

5. Responde a las preguntas según tus gustos.

a. ¿Qué chaqueta prefieres? *La que tiene cuatro bolsillos* .

b. ¿Qué mochila prefieres? ....

c. ¿Qué deportivas prefieres? ....

d. ¿Qué coche prefieres? ....

e. ¿Qué pasteles prefieres? ....

f. ¿Qué patatas fritas prefieres? ....

8 ¿Quién era Isaac Peral?

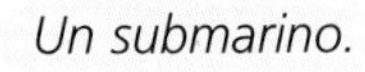

INTERROGATIVOS (1)

(a, con, de... +) ¿Quién?, ¿Quiénes? + verbo (+ sujeto)

¿Quién es Iván?

¿A quién le has prestado el diccionario?

(a, con, de... +) ¿Qué? + verbo (+ sujeto)

¿Qué pasó en la fiesta?

¿Con qué se hace el chocolate?

¿Qué hizo Antonio?

(a, con, de... +) ¿Qué? + nombre + verbo (+ sujeto)

¿Qué río pasa por Madrid?

¿A qué hora empieza la clase?

(a, con, de... +) ¿Cuál? ¿Cuáles? + verbo (+ sujeto)

¿Cuál es tu color preferido?

¿Cuáles son las dos ciudades principales de Chile?

(a, con de... +) ¿Cuál de?, ¿Cuáles de?	**+ los + mis, tus... + estos, esos... + vosotros/as, ustedes, ellos/as**	**+ nombre**	**+ verbo (+ sujeto)**

¿Cuál de vosotros se ha comido el chocolate?

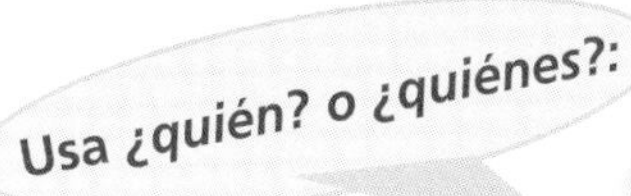

- **Para preguntar por personas:**
  - – *¿Con quién está bailando Antonio?*
  - • *Con Lola.*
  - – *¿Quiénes son tus mejores amigos?*
  - • *Carlos y Anabel.*

- **Para preguntar por objetos:**
  - – *¿Qué es eso?*
  - • *Una agenda electrónica.*

- **O por acciones o situaciones:**
  - – *¿Qué te pasa?*
  - • *Estoy cansado.*

- **Para preguntar por uno o unos de un grupo concreto de personas, animales o cosas:**
  - – *¿En qué barrio vive Abel?*
  - • *En Carabanchel.*
  - – *¿Cuál es el país más grande del mundo?*
  - • *China.*

Compara

¿Qué río pasa por Madrid?
¿Cuál de estos ríos pasa por Sevilla: el Guadalquivir, el Tajo o el Ebro?

¡OJO! *~~Cuál~~ película has visto?* ➧ *¿Qué película has visto?*

¿~~Qué~~ es tu color preferido? ➧ *¿Cuál es tu color preferido?*

Ejercicios

1. Une las palabras y completa las preguntas.

¿QUÉ	es	un 'pasota'?
¿QUIÉN	descubrió	en 1492?
¿QUIÉNES	construyeron	'Los girasoles'?
	inventó	la penicilina?
	es	el "turrón"?
	pintó	Marconi?
	eran	Machu Picchu?
	fue	Moctezuma?
	pasó	los caribes?

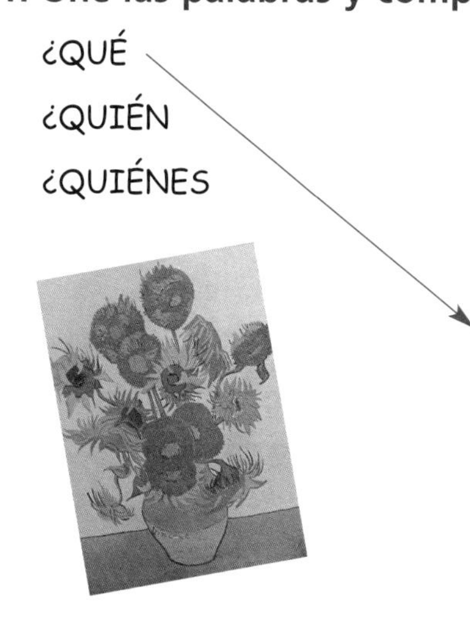

2. Completa las preguntas con *¿quién?, ¿qué?, ¿cuál?* o *¿cuáles?* Ten cuidado con las preposiciones.

a.	Este rotulador es de xxx.	¿ *De quién* es ese rotulador?
b.	Ayer xxx en clase.	¿ .... pasó ayer en clase?
c.	Hablamos de xxx.	¿ .... hablasteis?
d.	El xxx es mi música preferida.	¿ .... es tu música preferida?
e.	Me levanto a las xxx.	¿ .... hora te levantas?
f.	El domingo salí con xxx.	¿ .... saliste el domingo?
g.	Mis patines son los xxx.	¿ .... son tus patines?
h.	Mira, Carlos está xxx.	¿ .... está haciendo Carlos?
i.	Prefiero las deportivas xxx.	¿ .... deportivas prefieres?
j.	Lola vive en la calle xxx.	¿ .... calle vive Lola?

3. Completa las preguntas con *¿cuál?, ¿cuál de?, ¿cuáles?, ¿cuáles de?*

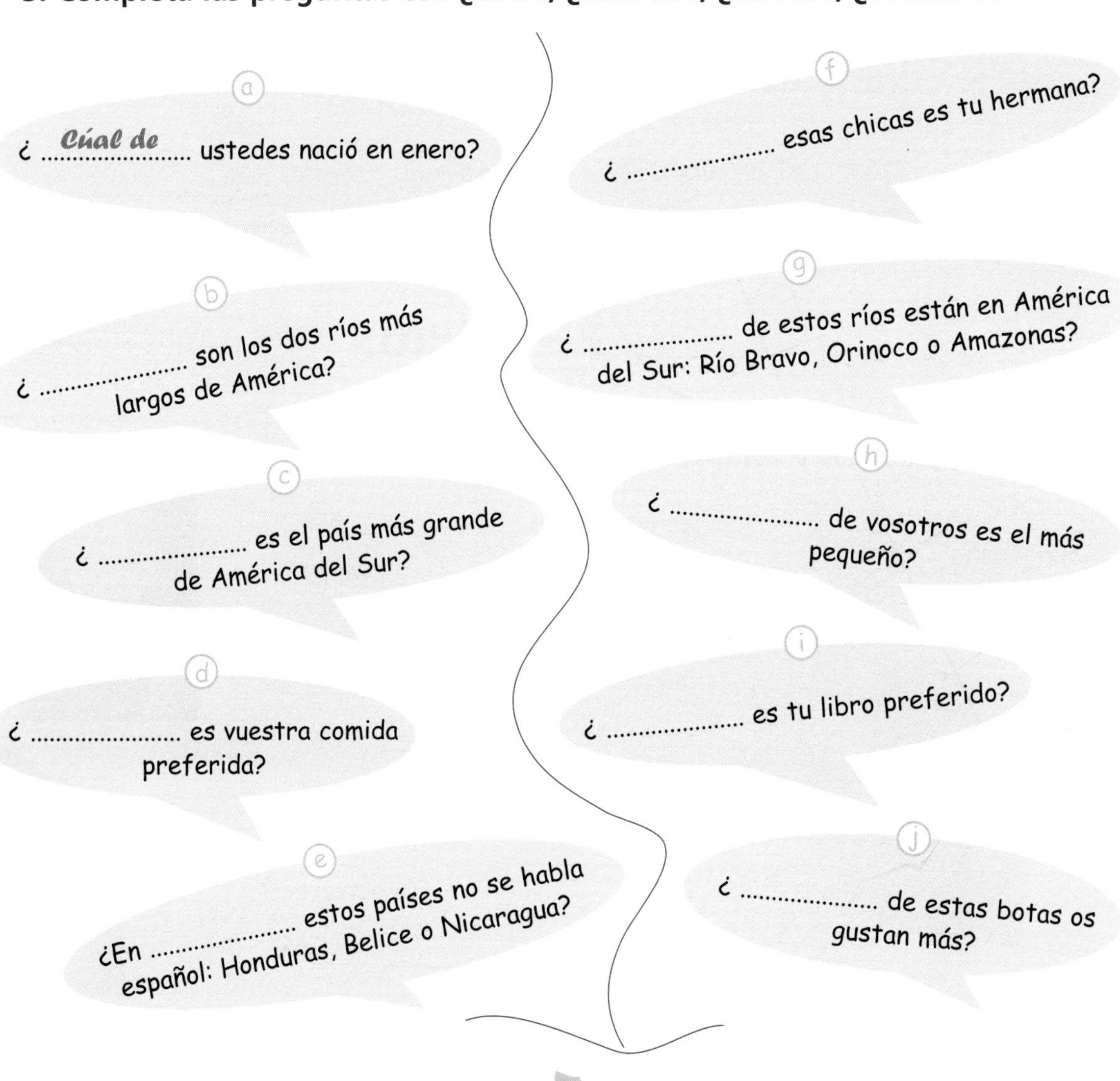

4. Completa este test cultural con *¿quién?, ¿quiénes?, ¿qué?* o *¿cuál?* Ten cuidado con las preposiciones.

PREGUNTAS

a. ¿ ....Qué.... planeta está más lejos del Sol?

b. ¿ .... escribió 'Don Quijote de la Mancha'?

c. ¿ .... es el continente más grande?

d. ¿ .... fundaron San Francisco?

e. ¿ .... océano está la Isla de Pascua?

f. ¿ .... es la isla más grande del mundo?

g. ¿ .... idioma se habla en Costa Rica?

h. ¿ .... hace un cirujano?

i. ¿ .... deporte se usan palos?

j. ¿ .... es la capital de Honduras?

k. ¿ .... año llegó Colón a América?

l. ¿ .... era Sancho Panza?

m. ¿ .... mide un cronómetro?

n. ¿ .... construyeron el acueducto de Segovia?

ñ. ¿ .... es el planeta más próximo al Sol?

RESPUESTAS

1. Tegucigalpa
2. Golf
3. El escudero de Don Quijote
4. Los romanos
5. En 1492
6. Español
7. Plutón
8. El tiempo
9. Mercurio
10. Miguel de Cervantes
11. Opera a personas enfermas
12. Pacífico
13. Groenlandia
14. Los españoles
15. Asia

¿Dónde y cuándo naciste

¿**Cómo** te llamas?

Zoila Chuc.

¿**Dónde** naciste?

En Iquitos, Perú.

¿**Cuándo** es tu cumpleaños?

El dieciséis de enero.

¿**Por qué** tienes tantas mascotas?

Me gustan los animales.

¿**Cuántos** hermanos tienes?

Dos, un hermano y una hermana.

INTERROGATIVOS (2)

(de, por... +) ¿Dónde? – *¿Dónde vives?* • *En Málaga.*	**¿Adónde?** – *¿Adónde vais?* • *Al cole.*
(desde, hasta... +) ¿Cuándo? – *¿Cuándo naciste?* • *El uno de noviembre de 1993.*	**¿Cómo?** – *¿Cómo es Caracas?* • *Es una ciudad muy moderna.*
¿Por qué? – *¿Por qué estudias español?* • *Porque me gusta.*	**(con, de, en... +) ¿Cuánto, cuánta, cuántos, cuántas? (+ sustantivo)** – *¿Cuánta gente fue al concierto?* • *Poca.*

Usa ¿dónde? y ¿adónde?:

- **Para preguntar por lugares:**

  – *¿Dónde está el Salto Angel?*
  • *En Venezuela.*

  – *¿Adónde ha ido Lucas?*
  • *A la peluquería.*

Usa ¿cuándo?:

- **Para preguntar por tiempo:**

  – *¿Cuándo naciste?*
  • *El dos de mayo de 1998.*

Usa *¿cómo?*:

- **Para preguntar por las características de una persona, animal o cosa:**

  – *¿Cómo es tu bici?* • *Es azul y tiene manillar de carreras.*

- **Para preguntar por el estado de alguien o algo:**

  – *¿Cómo está Javi?* • *Está un poco resfriado.*

- **Para preguntar por la manera de hacer algo:**

  – *¿Cómo vienes al colegio?* • *En autocar.*

- **Para preguntar por la causa de algo:**

  – *¿Por qué no quieres comer?*
  • *Porque no me gusta el arroz.*

Usa *¿cuánto, cuánta, cuántos, cuántas?*:

- **Para preguntar por una cantidad:**

  – *¿Cuántos chicos hay en tu clase?* • *Diecisiete.*
  – *¿Y cuántas chicas?* • *Veintidós.*

A veces se usa sólo *¿cuánto?* cuando está claro a qué se refiere:

– *¿Cuánto (cuántos kilos) pesas?* • *Cuarenta y cinco kilos.*

Observa que en las preguntas con interrogativos el sujeto va detrás del verbo:

¿Dónde estudia Patricia? *¿Cuándo nació tu hermano?*

Ejercicios

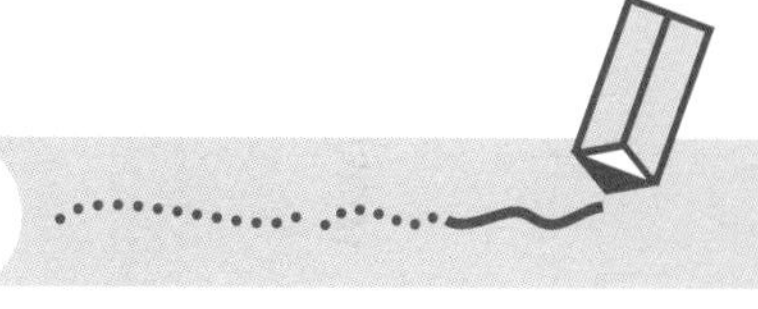

1. A Javi le ha desaparecido la bici. Completa las preguntas de un policía. Usa *¿cómo?, ¿cuándo?, ¿cuánto? y ¿dónde?*

a) ¿ *Cómo* te llamas? — Javier.

b) ¿ .... vives? — En Ponzano 10.

c) ¿ .... te han robado la bici? — Esta mañana.

d) ¿ .... estaba? — En el portal de mi casa.

e) ¿ .... es? — Roja y verde.

f) ¿ .... vale? — Unos 200 euros.

g) ¿ .... la compraste? — Hace seis meses.

2. Ordena las palabras.

a) Mateo / vive / dónde — ¿ *Dónde vive Mateo* ?

b) cuándo / español / João / estudia / desde — ¿ .... ?

c) tus padres / se llaman / cómo — ¿ .... ?

d) se fue / adónde / Carmen — ¿ .... ?

e) Vladimir / de / es / dónde — ¿ .... ?

f) por qué / esos niños / lloran — ¿ .... ?

3. Completa las preguntas con *¿cuánto?, ¿cuánta?, ¿cuántos?* o *¿cuántas?*

4. Completa las preguntas con *¿cómo?, ¿cuándo?, ¿dónde?, ¿adónde? o ¿por qué?*. Ten cuidado con las preposiciones.

a.	Mi padre trabaja en xxx.	¿ Dónde trabaja tu padre?
b.	Mi hermana se llama xxx.	¿ .... se llama tu hermana?
c.	Ayer no vine a clase porque xxx.	¿ .... no viniste a clase ayer?
d.	Estuvimos en Cuba en xxx.	¿ .... estuvisteis en Cuba?
e.	Miguel está xxx.	¿ .... está Miguel?
f.	El domingo no pude salir porque xxx.	¿ .... no pudiste salir el domingo?
g.	Mi habitación es xxx.	¿ .... es tu habitación?
h.	Rajiv es de xxx.	¿ .... es Rajiv?
i.	Mi madre va a trabajar en xxx.	¿ .... va a trabajar tu madre?
j.	El verano pasado fuimos de vacaciones a xxx.	¿ .... fuisteis de vacaciones el verano pasado?

5. Completa este test cultural con *¿cómo?, ¿cuándo?, ¿cuánto/a/os/as?, ¿dónde? o ¿por qué?* Ten cuidado con las preposiciones.

PREGUNTAS	RESPUESTAS
a. ¿ Cómo se llama el caballo de Don Quijote?	1 Nueve
b. ¿ .... brilla la luna?	2 27 días, 7 horas y 55 minutos
c. ¿ .... océanos hay?	3 Cachorros
d. ¿ .... está la Tierra del Fuego?	4 En Guatemala
e. ¿ .... viene la patata?	5 Refleja la luz del Sol
f. ¿ .... planetas hay en el sistema solar?	6 En la Casa Rosada
g. ¿ .... países se habla español?	7 En 1959
h. ¿ .... se celebra la fiesta de los Reyes Magos?	8 Rocinante
i. ¿ .... tarda la Luna en dar una vuelta alrededor de la Tierra?	9 Ochenta días
j. ¿ .... están las ruinas de Tikal?	10 En el sur de América del Sur
k. ¿ .... respiran los peces?	11 El seis de enero
l. ¿ .... tardó Phineas Fogg en dar la vuelta al mundo?	12 En veinte
m. ¿ .... se llaman las crías del león?	13 Cuatro
n. ¿ .... tuvo lugar la revolución cubana?	14 De los Andes
ñ. ¿ .... viven los presidentes de Argentina?	15 Por las branquias

10 Me he roto un brazo

*¡Brasil **ha ganado** el Mundial!*

*Estoy cansado. Hoy **he trabajado** mucho.*

*La abuela de Carlos **ha sido** actriz y ha hecho muchas películas.*

*No puedo jugar. **Me he roto** un brazo.*

*¿**Ha empezado** ya la película?*

PRETÉRITO PERFECTO

	Presente de Indicativo de **haber + participio pasado del verbo principal**		
(yo)	he	+	estudiado bebido vivido
(tú)*	has		
(usted)	ha		
(él, ella)	ha		
(nosotros/as)	hemos		
(vosotros/as)**	habéis		
(ustedes)	han		
(ellos/as)	han		

* (vos) habés estudiado / bebido / vivido

** (ustedes) han estudiado / bebido / vivido

Formación del participio pasado: verbos regulares		
estudiar ➧ estudiado	beber ➧ bebido	vivir ➧ vivido

Formación del participio pasado: verbos irregulares		
abrir ➧ abierto descubrir ➧ descubierto morir ➧ muerto decir ➧ dicho	poner ➧ puesto componer ➧ compuesto volver ➧ vuelto romper ➧ roto	escribir ➧ escrito ver ➧ visto devolver ➧ devuelto hacer ➧ hecho

Verbos con *se*
(no +) me/te/se/nos/os/se + presente de *haber* + participio pasado

Me he olvidado el paraguas.
Lo siento. No nos hemos acordado de tu cumpleaños.

Usa el Pretérito Perfecto:

- **Para dar información sobre hechos recientes, como noticias:**

  – ¿Qué ha pasado? *• Ha habido un terremoto en Nicaragua.*

- **Para hablar de lo que se ha hecho *hoy, esta semana, este mes, este año:***

  Esta semana no he ido al cine.

- **Para hablar de experiencias personales pasadas sin decir cuándo sucedieron:**

  Juan ha leído todos los libros de Harry Potter.

  Se suelen usar expresiones *como, nunca, dos/tres/muchas veces, alguna vez:*

  Mis padres han viajado en avión muchas veces.
  ¿Has bebido alguna vez horchata?

- **Para hablar de acciones pasadas recientes con consecuencias en el presente:**

  – ¿Por qué llegas tarde? *• He perdido el autobús.*

- **Para preguntar o decir si se ha hecho algo o no antes del momento de hablar, con adverbios como *ya, todavía:***

  – ¿Ha empezado ya el partido? *• No, no ha empezado todavía.*

  – ¿Has hecho ya el ejercicio? *• Sí, ya he acabado.*

En Hispanoamérica no se usa mucho el Pretérito Perfecto. En su lugar, se usa el Pretérito Indefinido.

Ejercicios

1. Completa las frases con la forma correcta del *Pretérito Perfecto* de los verbos entre paréntesis.

a. Juan no está en casa. ...*Ha salido*... con sus amigos (salir).

b. Mis tíos .... de Colombia (regresar).

c. ¿ .... ya la cama, Patricio? (hacer).

d. ¿Quién .... la televisión? (poner).

e. Hoy .... tarde. (no, levantarse).

f. - ¿Qué .... ustedes hoy? (hacer).
   • .... al Museo del Prado (ir).

g. No podemos entrar. .... las llaves (olvidarse).

h. - ¿Por qué estáis enfadados?
   • .... el partido (perder).

i. - ¿Vienes a ver 'El señor de los anillos'?
   • No, la .... dos veces (ver).

j. ¿ .... ya las gafas? (encontrar).

k. João no me .... el diccionario todavía (devolver).

l. ¿ .... ustedes en Cuba? (estar).

2. Lee los titulares de los periódicos y dile las noticias a un compañero.

a. **MUERE EL INVENTOR DEL VÍDEO**

b. **Gana el Boca Juniors**

c. SE RETIRA RONALDO

d. **Roban dos cuadros de Picasso**

e. **La policía detiene a un peligroso narcotraficante**

f. **Baja el precio de los CD**

g. PIERDE EL REAL MADRID

h. ***Estrenan la última película de George Lucas***

a. *"Ha muerto el inventor del vídeo"* .

b. ....

c. ....

d. ....

e. ....

f. ....

g. ....

h. ....

3. La familia Juárez está de vacaciones. Llegaron el lunes 15 de julio y ahora son las diez de la noche del domingo 21 de julio y están en Madrid. Julio Juárez está hablando por teléfono con su abuela. Completa la conversación con los verbos señalados.

comer ❖ comprar ❖ conocer ❖ estar ❖ hacer ❖ ir ❖ ver ❖ viajar ❖ visitar ❖ hacer ❖ visitar

a. ¿Qué *habéis hecho* esta semana?

b. .... en Sevilla, Granada y Córdoba.

c. .... muchos monumentos árabes y romanos.

d. .... la Alhambra y la Mézquita de Córdoba.

e. .... a muchos españoles.

f. .... en el AVE, el tren de alta velocidad.

g. ¿Qué .... hoy?

h. Hoy .... a Toledo.

i. .... la Catedral y la Casa del Greco,

j. .... en un restaurante típico

k. y .... algunos regalos para vosotros.

4. Observa las ilustraciones y completa las frases de Carlos sobre la vida de sus abuelos. Utiliza 'Mi abuelo', 'Mi abuela' o 'Mis abuelos', y los verbos señalados.

conocer ❖ enseñar ❖ escalar ❖ escribir ❖ estar ❖ ser ❖ trabajar ❖ montar

a. *Mis abuelos han estado* en Egipto.

b. Mi abuelo .... actor.

c. Mi abuela .... al Rey Juan Carlos.

d. .... español en África.

e. .... en una granja.

f. .... en globo.

g. .... el Aconcagua.

h. .... un libro.

5. ¿Qué experiencias has tenido tú? Completa las preguntas y luego responde como corresponda. Utiliza los verbos señalados.

actuar ❖ comer ❖ conocer ❖ escribir ❖ estar ❖ viajar ❖ montar ❖ estar

a. ¿ *Has comido alguna vez* paella?
- *Sí, he comido paella una vez / muchas veces* .
- *No, no he comido nunca paella* .

b. ¿ .... en avión?
- ....

c. ¿ .... en el extranjero?
- ....

d. ¿ .... a alguien famoso?
- ....

e. ¿ .... en una obra de teatro?
- ....

f. ¿ .... un relato?
- ....

g. ¿ .... en globo?
- ....

h. ¿ .... enamorado/a?
- ....

6. Completa los diálogos con los verbos señalados.

estar ❖ estropearse ❖ tocar ❖ olvidar ❖ perder ❖ perder ❖ robar ❖ romperse

7. Carmen se ha ofrecido a hacer las tareas de la casa este sábado. Lee la nota y escribe las preguntas de su padre a Carmen y las respuestas de esta. Usa el *Pretérito Perfecto* en afirmativa o negativa, con *ya* o *todavía*.

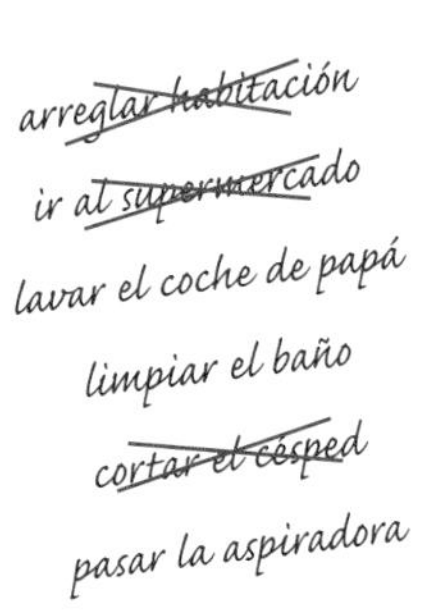

a. ¿ Has arreglado ya tu habitación? • Sí, ya la he arreglado .

b. ¿ .... el coche? • ....

c. ¿ .... el césped? • ....

d. ¿ .... al supermercado. • ....

e. ¿ .... el baño? • ....

f. ¿ .... la aspiradora? • ....

8. Hoy es domingo. Observa el cuadro de tareas escolares para el fin de semana y completa los diálogos.

	TAREAS PARA EL FIN DE SEMANA			
	Hacer problemas de matemáticas	Leer capítulo XX de 'Don Quijote'	Repasar la lección 5 de historia	Estudiar unidad 4 de física
JAVI	✓	×	✓	×
ARNALDO	×	✓	✓	×
PAOLA	✓	✓	✓	✓
GABRIELA	×	×	×	×

a. Javi: ¿ Has hecho ya los problemas de matemáticas, Arnaldo?

Arnaldo: No, no los he hecho todavía .

b. Paola: ¿ .... la lección de historia?

Javi y Arnaldo: ....

c. Paola: ¿ .... el capítulo XX de 'Don Quijote', Gabriela?

Gabriela: ....

d. Arnaldo: Javi y yo .... la unidad 4 de física.

e. Gabriela: ¿ .... la lección de historia, Paola?

Paola: ....

f. Paola: Yo .... el capítulo XX de 'Don Quijote'.

g. Gabriela: Yo .... los problemas de matemáticas.

11 ¿Has visto a Rosa? Sí

PRETÉRITO PERFECTO / PRETÉRITO INDEFINIDO

Compara

Pretérito Perfecto	Pretérito Indefinido
Acciones realizadas en un pasado inmediato: *hace un momento, hace poco...*	**Acciones realizadas en un pasado no inmediato: *anoche, ayer, hace una semana...***
Hemos visto a Shakira hace un momento.	*Vimos a Shakira hace una semana.*
Acciones realizadas *hoy, esta semana, este mes...*	**Acciones realizadas *ayer, la semana pasada, el mes pasado...***
– *¿Qué has hecho hoy?* • *He ido al cine.*	– *¿Qué hiciste ayer?* • *Fui al cine.*
Preguntar o decir si se ha hecho algo sin indicar cuándo:	**Decir cuándo se hizo algo en el pasado:**
– *He vivido en la India.* – *¿Habéis estado en Perú?*	• *Viví en la India hace muchos años.* • *Sí, estuvimos en Lima hace dos años.*

Pretérito Perfecto

Con *ya* y *todavía* para preguntar y decir si se ha hecho algo o no antes del momento de hablar:

– ¿Has hablado ya con Pablo?
• Sí, hablé con él el domingo pasado.

No he escrito todavía a Nicole.

Ejercicios

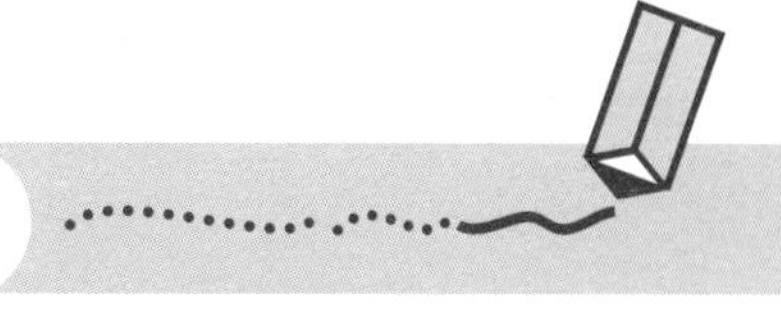

1. Utiliza la forma adecuada de los verbos entre paréntesis: *Pretérito Perfecto* o *Pretérito Indefinido.*

(a) El año pasado Pedro ....estuvo.... (estar) en Lima.

(b) Fleming .... (conseguir) el premio Nobel de medicina en 1945.

(c) ¿Por qué no .... (ir) ayer al concierto con tus amigos?

(d) La madre de Roberto .... (tener) un niño hace poco.

(e) En el siglo pasado .... (haber) muchas guerras.

(f) ¿Cuándo .... (llegar) Colón a América?

(g) El verano pasado .... (nosotros, bañarse) poco, pero este verano .... (nosotros, bañarse) mucho.

(h) ¿ .... (tú, ir) alguna vez al circo?
Sí, ... (ir) una vez cuando era pequeño.

(i) ¿Cuántas clases .... (vosotros, tener) hoy?

(j) No .... (yo, acabar) todavía el trabajo de historia.

2. Completa los diálogos.

a

¿ Has oído ya el nuevo disco de Alejandro Sanz? (tú, oír).

Sí, lo oí el domingo en casa de Javi.

b

¿ .... la última película de Spielberg? (tú, ver).

No, no la .... todavía.

c

¿ .... ya el examen de matemáticas? (vosotros, hacer).

Sí, lo .... la semana pasada.

d

¿ .... el profesor los exámenes? (devolver).

Sí, los .... ayer.

e

¿ .... alguna vez en Colombia? (tú, estar).

No, no .... nunca en Colombia.

f

¿ .... tus padres en España? (estar).

Sí, ... en España hace dos años.

3. Completa la entrevista a un grupo pop, 'Salvajes'.

Pregunta: ¿Cuándo empezasteis a tocar? (empezar).

Respuesta: Hace cinco años.

P: ¿Cómo ....2........ ? (conocerse).

R: En el instituto. Estábamos en la misma clase.

P: ¿Dónde ....3........ vuestro primer concierto? (dar).

R: En un concurso de grupos jóvenes en Madrid hace cuatro años. Lo ....4........ y ....5........ nuestro primer disco (ganar, grabar).

P: ¿Cuántos álbumes ....6........ hasta ahora? (grabar).

R: Cuatro.

P: ¿Y cuántas canciones ....7........ ? (componer).

R: Más de veinte.

P: ¿Cuál ....8........ vuestro primer éxito? (ser).

R: 'Calles de fuego'.

........9........ 50.000 discos (vender).

P: ¿En qué países ....10........ ? (tocar).

R: ....11........ en Argentina, Chile, México y España (actuar).

4. Completa las frases en forma afirmativa o negativa según tu caso.

a. Mis padres *han viajado / no han viajado* por todo el mundo (viajar).

b. Yo .... todas las asignaturas el año pasado (aprobar).

c. Anoche .... la tele (yo, ver).

d. Mi compañero/a .... tarde hoy (levantarse).

e. La semana pasada .... a clase (yo, venir).

f. Hoy .... los dientes después de desayunar (yo, lavarse).

g. El domingo pasado .... al cine (yo, ir).

h. Esta semana .... mucho la tele (yo, ver).

i. Mi compañero/a .... a nadar cuando era pequeño/a (aprender).

j. Mi compañero/a .... el domingo con sus amigos/as (salir).

5. Completa las frases con los verbos dados en *Pretérito Perfecto* o en *Pretérito Indefinido* en forma afirmativa o negativa.

aprender ❖ dar ❖ desayunar ❖ dormir
estar ❖ recoger ❖ ver

a) No esquío muy bien. *He aprendido* hace poco.

b) Eloy, ¿ .... ya la habitación?
No, ... la .... todavía.

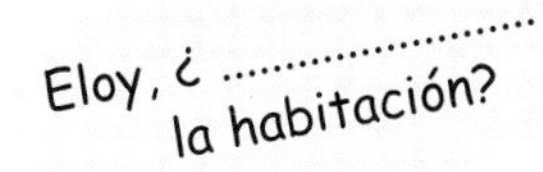

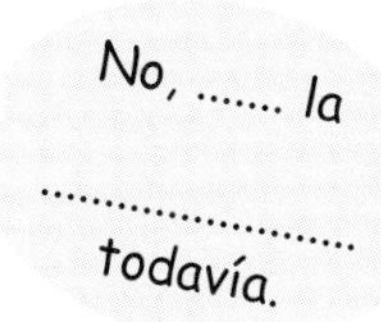

c) .... en Perú el verano pasado.

d) Anoche .... bien.

e) Ayer .... a Jorge y me .... esto para ti.

f) Tengo hambre. .... todavía.

Mañana lloverá en el nort

Mañana **lloverá** en el norte.

Conocerás *a un chico muy guapo,* ***te casarás*** *con él y* ***tendréis*** *muchos hijos.*

FUTURO DE INDICATIVO

A. Verbos regulares

	verbos acabados en **-ar**	verbos acabados en **-er**	verbos acabados en **-ir**
	HABLAR	COMER	VIVIR
(yo)	hablaré	comeré	viviré
(tú)*	hablarás	comerás	vivirás
(usted)	hablará	comerá	vivirá
(él, ella)	hablará	comerá	vivirá
(nosotros/as)	hablaremos	comeremos	viviremos
(vosotros/as)**	hablaréis	comeréis	viviréis
(ustedes)	hablarán	comerán	vivirán
(ellos/as)	hablarán	comerán	vivirán

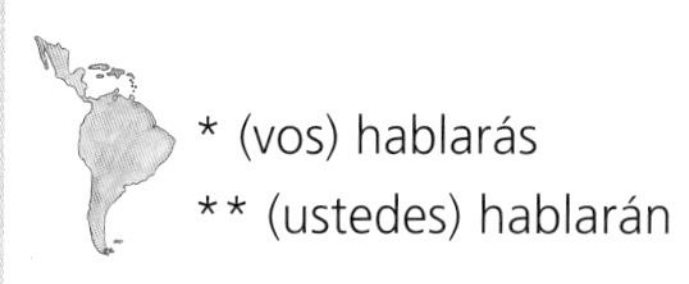

* (vos) hablarás
** (ustedes) hablarán

B. Verbos irregulares

HACER	har-	+	-é -ás -á -á -emos -éis -án -án
TENER	tendr-		
HABER	habr-		
PODER	podr-		

Verbos con *se*:		
me, te, se, nos, os, se	**+**	***Futuro de Indicativo***

Te casarás con él.

- **Para hacer predicciones sobre el futuro:**

  Mañana lloverá en el norte.

  Conocerás a un chico muy guapo.

- **Para hacer promesas:**

  No te preocupes. Te compraré la moto para tu cumpleaños.

Ejercicios

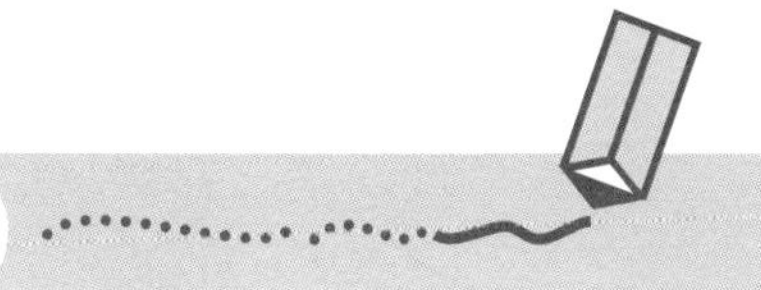

1. Escribe las formas del *Futuro de Indicativo* de los verbos siguientes.

	estudiar	ser	subir	irse
(yo)	....	....	....	....
(tú)	....	....	....	....
(usted)	....	....	....	....
(él, ella)	....	....	....	....
(nosotros/as)	....	....	....	....
(vosotros/as)	....	....	....	....
(ustedes)	....	....	....	....
(ellos/as)	....	....	....	....

2. Un semana loca. Observa los mapas del tiempo para la próxima semana en la Comunidad de Madrid y escribe las predicciones.

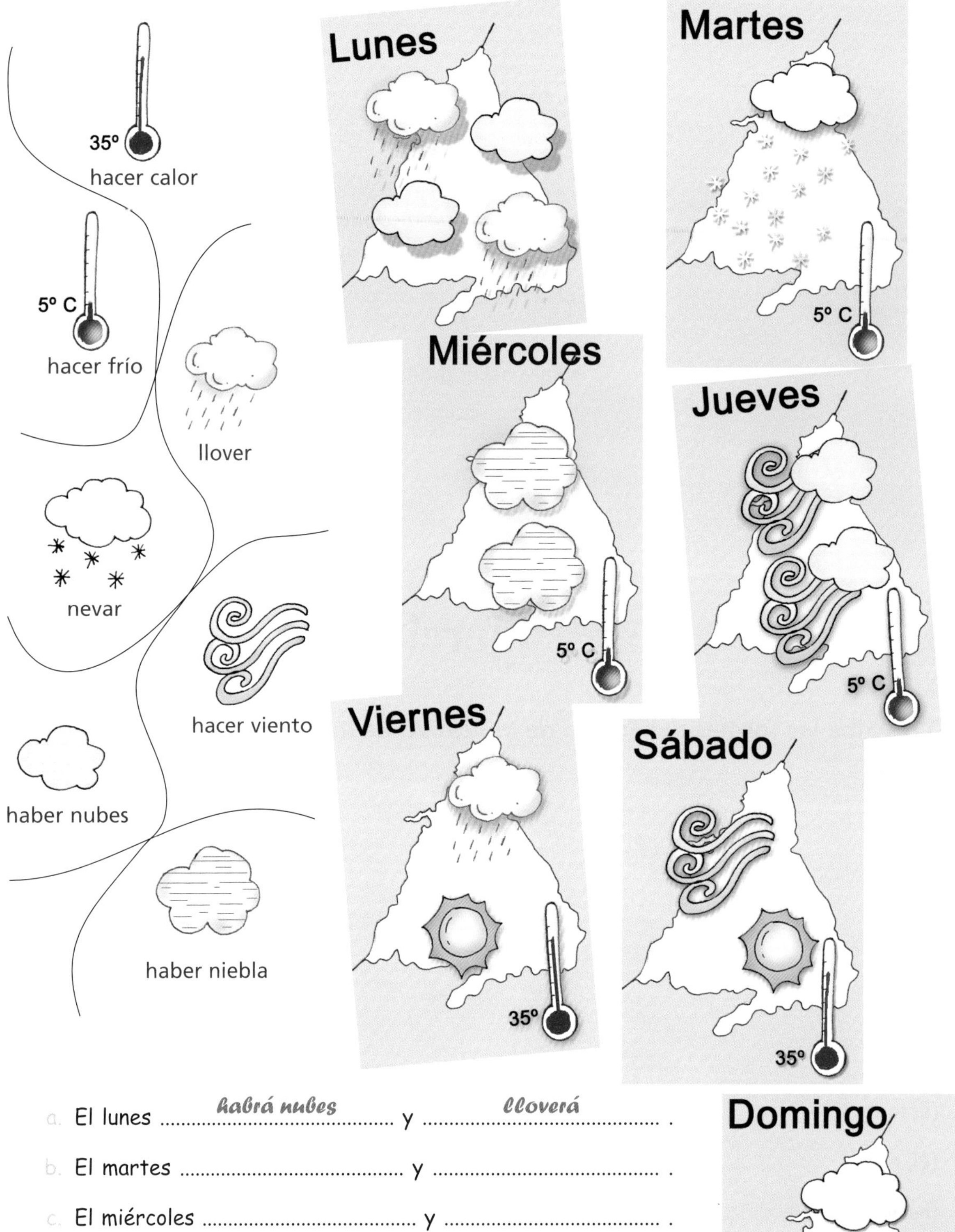

a. El lunes *habrá nubes* y *lloverá* .

b. El martes .... y ....

c. El miércoles .... y ....

d. El jueves .... y ....

e. El viernes .... y ....

f. El sábado .... y ....

g. El domingo .... y ....

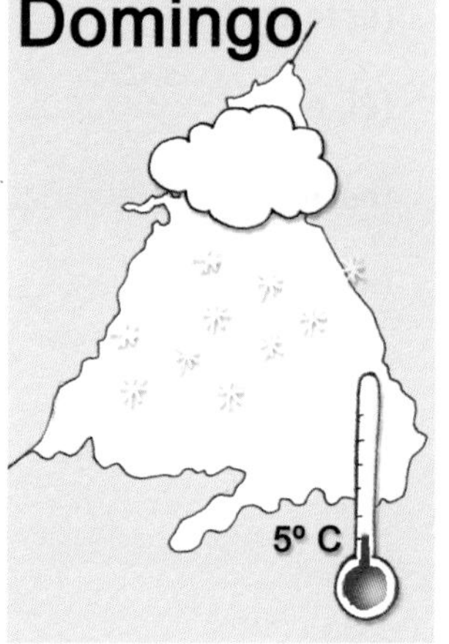

3. ¿Qué les dice la adivina? Utiliza los verbos del recuadro.

aprobar ❖ casarse ❖ tocar ❖ recibir ❖ ser ❖ tener ❖ viajar ❖ vivir

4. Completa el diálogo con los verbos entre paréntesis en forma afirmativa o negativa.

a

¿......***Seré***...... (ser) feliz?

Sí, ... (tener) una vida feliz. .... (vivir) muchos años. .... (tener) problemas de salud pero .... (ser) graves.

b

¿ .... (ser) famosa?

No, tú .... (ser) famosa, pero .... (estar) rodeada de famosos. .... (conocer) a muchos artistas y .... (viajar) mucho.

c

¿A qué países .... (ir)?

A muchos. .... (ir) a Venezuela y .... (hacer) muy buenos amigos. Una de esas personas .... (cambiar) tu vida.

d

Y mis padres, ¿ .... (vivir) mucho?

Sí. .... (tener) un accidente, pero .... (ser) grave. .... (ser) muy felices.

e

¿ .... (ser) rica?

No, ... (tener) mucho dinero pero .... (ser) pobre. Hemos acabado. Son 15 euros.

5. ¿Qué le promete su padre a Elisa para el próximo verano y qué le promete Elisa? Completa las frases con los verbos del recuadro.

arreglar ❖ comprar ❖ dejar ❖ ir ❖ ir ❖ portarse ❖ aprobar ❖ ver

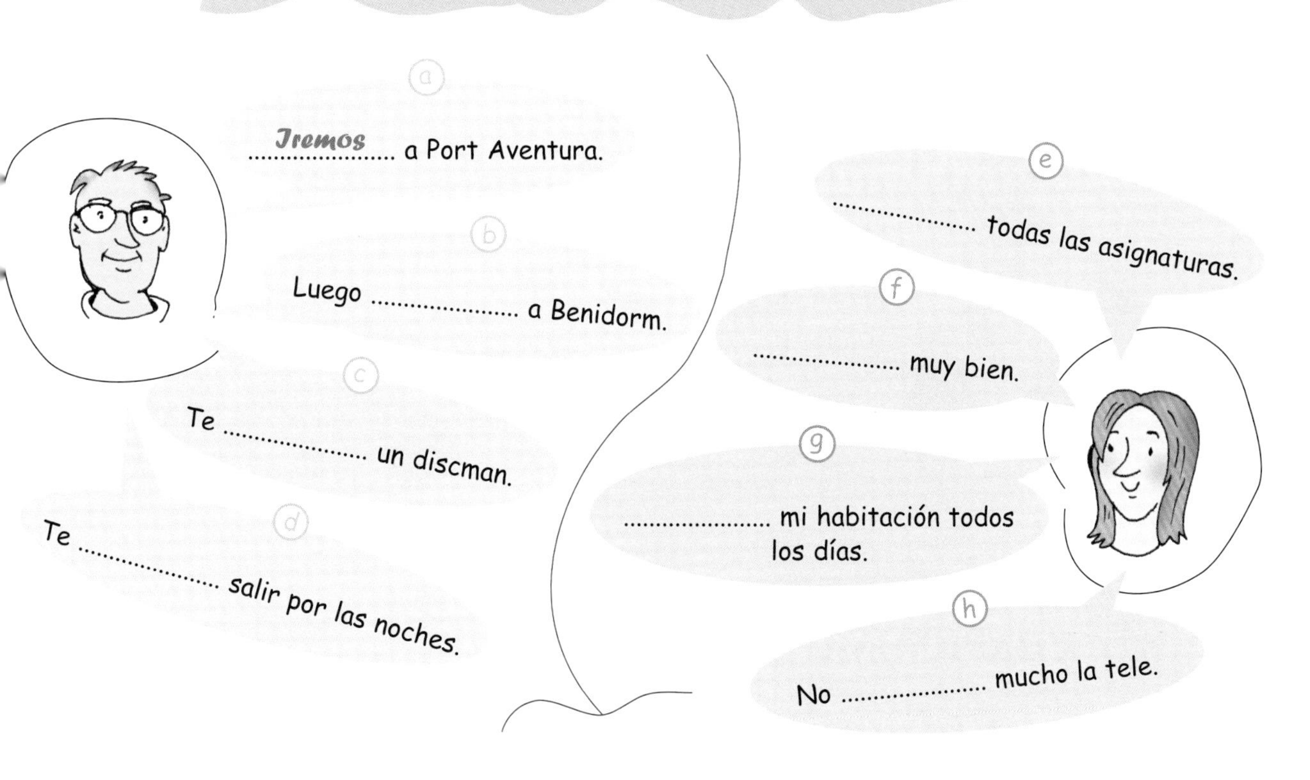

6. ¿Cuáles son tus predicciones para el futuro? Completa las frases en afirmativa o negativa.

a. En el siglo XXIII *podré / no podré* (poder) ir de vacaciones a la Luna.

b. .... (haber) una guerra nuclear dentro de pocos años.

c. Mis padres y yo .... (vivir) muchos años.

d. Mi compañero/a y yo .... (aprobar) todo el próximo curso.

e. Mi compañero/a y yo .... (tener) problemas en el colegio el próximo curso.

f. .... (casarse) antes de los 30 años.

g. Mi compañero/a y yo .... (ser) muy famosos.

h. Mi equipo de fútbol .... (ganar) este año la Liga.

i. Brasil .... (ser) campeona del mundo en los próximos mundiales de fútbol.

j. Dentro de 25 años .... (haber) una cura para el cáncer.

k. Mis padres me .... (regalar) una moto en mi próximo cumpleaños.

l. Mi compañero/a y yo .... (hablar) español muy bien dentro de unos años.

Me gustaría ser famoso

*Yo que tú no **comería** más tarta. Te puede sentar mal.*

__Me gustaría__ ser una cantante famosa.

*Perdone, ¿**podría** decirme la hora?*

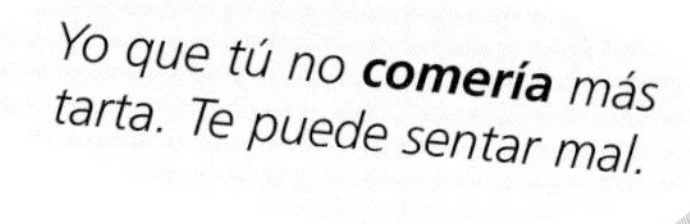

CONDICIONAL SIMPLE

A. Verbos regulares

	verbos acabados en **-ar**	verbos acabados en **-er**	verbos acabados en **-ir**
	ESTUDIAR	COMER	VIVIR
(yo)	estudiaría	comería	viviría
(tú)	estudiarías	comerías	vivirías
(usted)	estudiaría	comería	viviría
(él, ella)	estudiaría	comería	viviría
(nosotros/as)	estudiaríamos	comeríamos	viviríamos
(vosotros/as)	estudiaríais	comeríais	viviríais
(ustedes)	estudiarían	comerían	vivirían
(ellos/as)	estudiarían	comerían	vivirían

B. Verbos irregulares

	HABER, PODER, SABER		PONER, SALIR, TENER, VENIR		DECIR, HACER	
(yo)		ía		ía		ía
(tú)		ías		ías		ías
(usted)		ía	pondr-	ía		ía
(él, ella)	habr-	ía	saldr-	ía	dir-	ía
(nosotros/as)	podr-	íamos	tendr-	íamos	har-	íamos
(vosotros/as)	sabr-	íais	vendr-	íais		íais
(ustedes)		ían		ían		ían
(ellos/as)		ían		ían		ían

- **Para hablar de algo imaginario, no real:**
  Con cincuenta euros podríamos ir todos al cine y merendar.
- **Para expresar deseos, con verbos como *gustar, encantar:***
  Me encantaría conocer a Paulina Rubio.

Compara

Realidad... *Me gusta vivir en Perú. (Vivo en Perú y me gusta.)*
Deseo... *Me gustaría vivir en Perú. (No vivo en Perú; es un deseo.)*

- **Para dar consejos o sugerencias, con expresiones como 'yo (que tú)', 'yo en tu lugar':**
  Deberías hacer más deporte.
  Yo en tu lugar me acostaría. Estás cansado.
- **Para hacer peticiones de manera formal:**
  ¿Podría salir antes, por favor?

Ejercicios

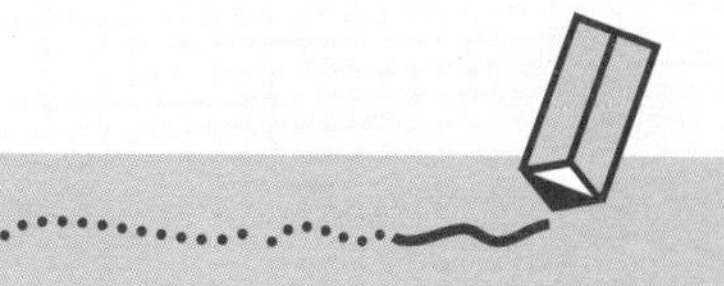

1. Escribe el *Condicional* de los siguientes verbos.

	hablar	escribir	poder	tener	decir
(yo)	....	....	....	....	....
(tú)	....	....	....	....	....
(usted)	....	....	....	....	....
(él, ella)	....	....	....	....	....
(nosotros/as)	....	....	....	....	....
(vosotros/as)	....	....	....	....	....
(ustedes)	....	....	....	....	....
(ellos/as)	....	....	....	....	....

2. ¿Qué harían con 500 euros? Completa los diálogos con los verbos y expresiones siguientes.

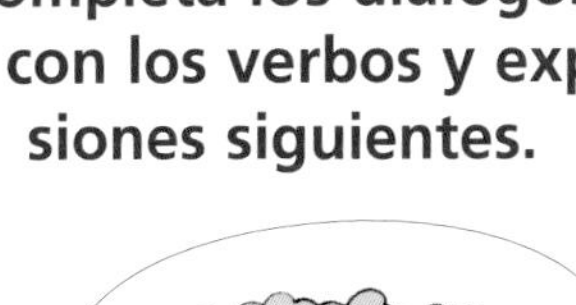

hacer ❖ alquilar un globo ❖ comprarse una guitarra
hacer ❖ hacer ❖ hacer una fiesta ❖ hacer un viaje
hacer ❖ pasar ❖ regalar

Javi y Gabriela

Juani

a. Santi: ¿Qué ...*harías*... con quinientos euros, María?

María: Les .... muchas cosas a mis padres.

b. Santi: Yo .... Y vosotros, ¿qué .... ?

Javi y Gabriela: .... para nuestros amigos.

c. Daniel: ¿Qué .... con quinientos euros, Marcos?

Marcos: .... un fin de semana en Terra Mítica.

d. María: ¿Qué .... Daniel y Juani?

Javi: Daniel .... a Roma y Juani ....

3. ¿Qué haríais en su lugar? Da consejos con 'yo (que tú)' 'yo en tu lugar' y las expresiones siguientes.

acostarse ❖ ahorrar ❖ estudiar más ❖ hacer ejercicio ❖ ir al cine ❖ ir al médico
no decir nada ❖ pedir una pizza ❖ ponerse un abrigo

a. "Estoy cansada." ...*Yo que tú me acostaría*... .

b. "Quiero comprarme un ordenador." ....

c. "Estoy un poco gordo." ....

d. "Tengo hambre." ....

e. "Necesito aprobar." ....

f. "No me siento bien." ....

g. "Tengo frío." ....

h. "Estoy aburrido." ....

i. "He roto la televisión." ....

4. ¿Qué deseos tienen?

ir a la Luna ❖ saber tocar la guitarra ❖ ser actor ❖ ser escritora
hacer submarinismo ❖ visitar México

María | Javi | Marcos | Juani | Daniel | Gabriela

a. Javi: *Me gustaría ser actor* .

b. Daniel: ....

c. María: ....

d. Juani: ....

e. Gabriela: ....

f. Marcos: ....

5. Completa las peticiones de manera formal.

a) ¿ *Podría* .... por favor decirme dónde está la calle Mayor?

b) ¿ .... abrirme la puerta, por favor?

c) Hemos terminado.
¿ .... irnos?

d) ¿ .... , por favor, prestarme diez euros?

e) ¿ .... quitarse los sombreros, por favor?

14 No hay nadie en el aula

ALGUIEN, ALGO, ALGÚN, NADIE, NADA, NINGÚN

	Personas	Cosas	Personas y cosas
Afirmaciones	**alguien**	**algo**	**algunos/as** + nombre plural
	Hay alguien en mi habitación. Alguien quiere verte.	*Hay algo debajo de la mesa. ¿Has hecho algo?*	*Algunas postales son muy bonitas. Algunos perros son agresivos.*
	Personas	**Cosas**	**Personas y cosas**
Preguntas	**alguien**	**algo**	**algún/a** + nombre singular
	¿Hay alguien en casa? ¿Vive alguien aquí?	*¿Hay algo en la caja? ¿Quieres algo?*	*¿Hay algún alumno en el aula? ¿Quieres alguna revista?*
	Personas	**Cosas**	**Personas y cosas**
Negaciones	**nadie**	**nada**	**ningún/a** + nombre singular
	No hay nadie en casa. Nadie dice la verdad.	*No hay nada en la caja. No me han regalado nada.*	*No tengo ningún CD. Ningún niño es malo.*

Usa alguien:

- **Para referirte a personas de identidad desconocida:**

Te ha llamado alguien, Sonia, pero no ha dicho su nombre.

Usa algo:

- **Para referirte a cosas de identidad desconocida:**

Hay algo en ese árbol. ¿Qué es?

Usa *algunos/as*:

- **Para referirte a personas de identidad desconocida:**

  Algunos jugadores de fútbol ganan mucho dinero.

- **Cuando se sabe de qué estás hablando:**

  – ¿Estudian mucho tus alumnos?
  • Algunos sí.

  – ¿Tienes muchos amigos?
  • No, no tengo ninguno.

Puedes usar solos *algunos/as*, *alguno/a* y *ninguno/a*:

Para la forma negativa tenemos dos posibilidades en algunos casos:

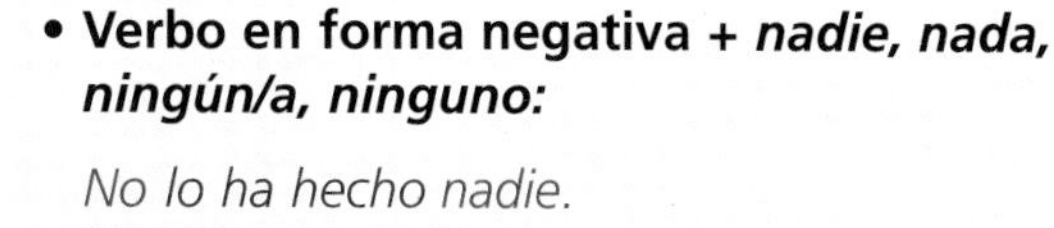

- **Verbo en forma negativa + *nadie, nada, ningún/a, ninguno:***

  No lo ha hecho nadie.
  No te gusta nada.
  No hay ningún bombón en la caja.

- ***Nadie, nada, ningún/a, ninguno* + verbo en forma afirmativa:**

  Nadie lo ha visto.
  Nada te gusta.
  Ningún alumno habla ruso.

Ejercicios

1. Observa las ilustraciones y completa las frases con *alguien, nadie, algo, nada, ningún, ninguna, algunos* o *algunas*.

a. No hay ....*nada*.......... en la maleta.

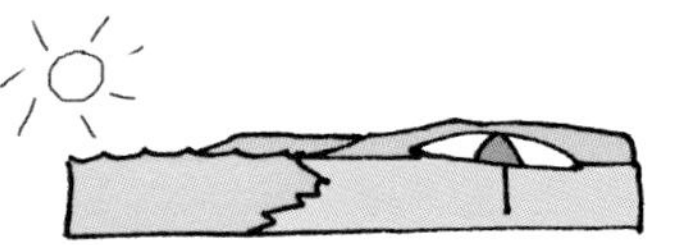

b. No hay .... en la playa.

c. No hay .... galleta en la caja.

d. Hay .... debajo de la mesa.

e. .... lápices están rotos.

f. Hay .... detrás de la puerta.

g. .... árboles no tienen hojas.

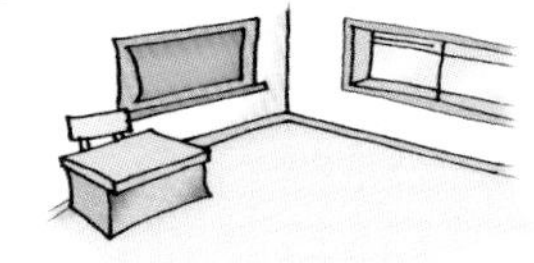

h. No hay .... alumno en clase.

i. .... cucharas están sucias.

2 a. Observa la ilustración y completa las frases con *hay, no hay,* y *alguien, algo, nadie, nada.*

a. ....*Hay alguien*.......... leyendo el periódico.

b. .... debajo del banco.

c. .... jugando al fútbol.

d. .... pescando en el río.

e. .... en el cubo.

f. .... flotando en el río.

g. .... durmiendo debajo de un árbol.

h. .... en el árbol.

i. .... sobre el banco.

j. .... nadando en el río.

k. .... paseando un perro.

2 b. Completa las preguntas y las respuestas sobre la ilustración.

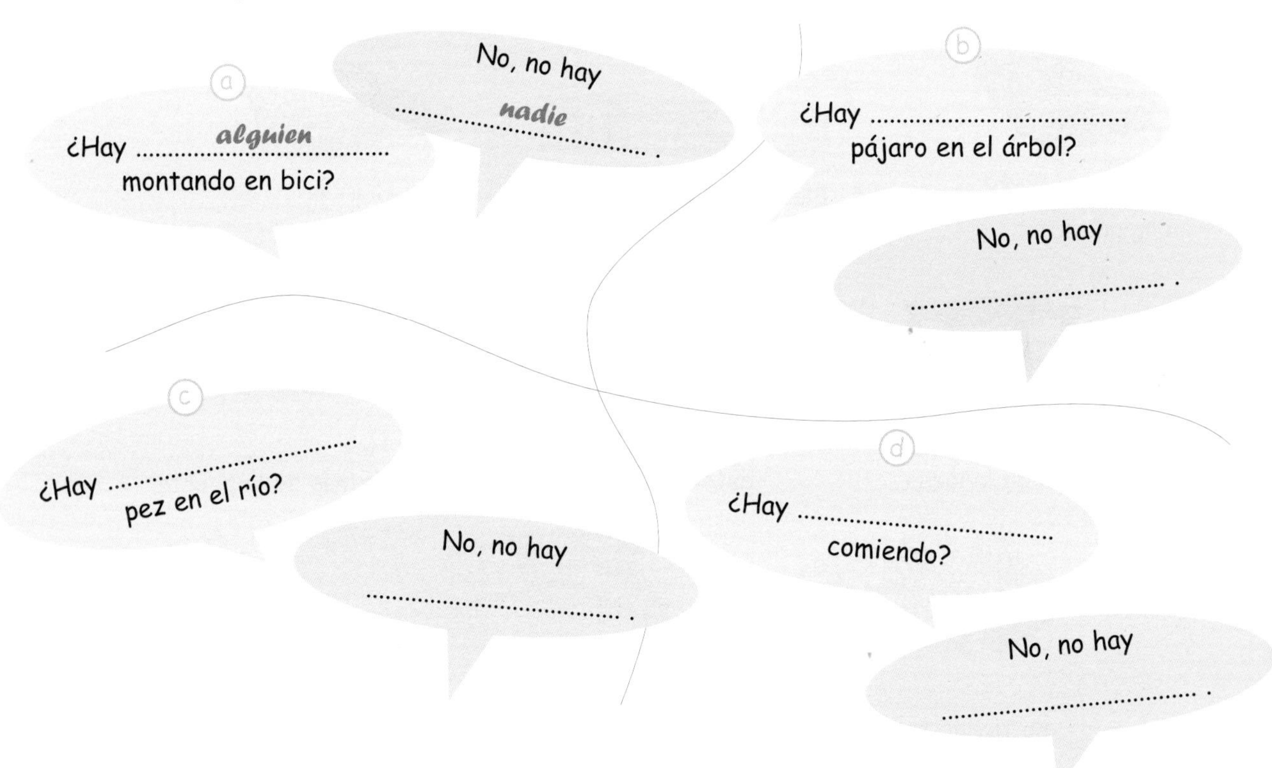

3. Completa las preguntas y las respuestas con *alguien, algo, algún, alguna, nadie, nada, ningún o ninguna.*

a. ¿Hay ...alguien... en casa? • No, no hay ...nadie... .

b. ¿Tienes .... libro en español? • No, no tengo ....

c. ¿Conoces a .... persona famosa? • No, no conozco a .... famoso.

d. ¿Vive .... en esta casa? • No, aquí no vive ....

e. ¿Quieres .... ? • No, gracias. No quiero ....

f. ¿Has visto .... película española? • No, no he visto ....

g. ¿Has comido .... ? • No, no he comido ....

h. ¿Tienes .... amiga en Perú? • No, no tengo ....

i. ¿Te ha llamado .... ? • No, no me ha llamado ....

j. ¿Has comprado .... ? • No, no he comprado ....

k. ¿Tienes .... disco de Shakira? • No, no tengo ....

4. Completa las frases con las expresiones dadas en el lugar indicado por el paréntesis. Haz los cambios necesarios.

a. nadie — Me vio () ...No me vio nadie... .

b. nadie — () Me vio ....

c. nada — Quiero () ....

d. nada — Me divierte () ....

e. nada — () Me divierte ....

f. ningún pájaro — He visto () ....

g. ningún perro — () Vuela ....

h. nadie — () Tiene dinero ....

i. nada — Hemos hecho () ....

j. ninguna alumna — () Ha suspendido ....

15 Ayer estuve aquí

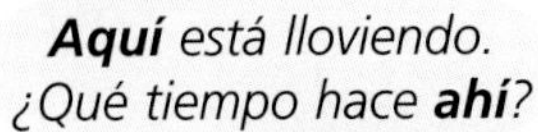

ADVERBIOS DE LUGAR

A. Aquí, ahí, allí.

B. Abajo, arriba...

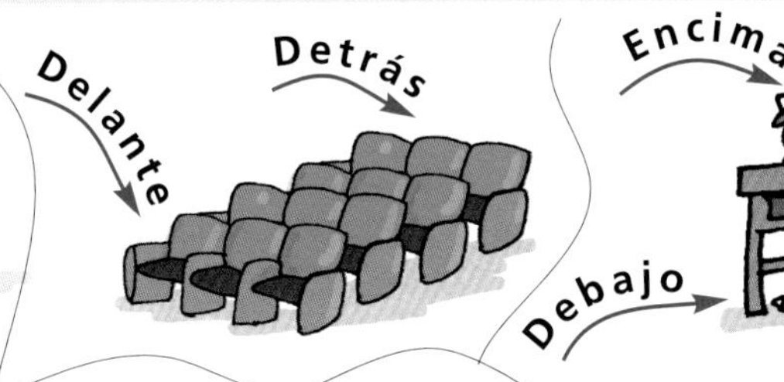

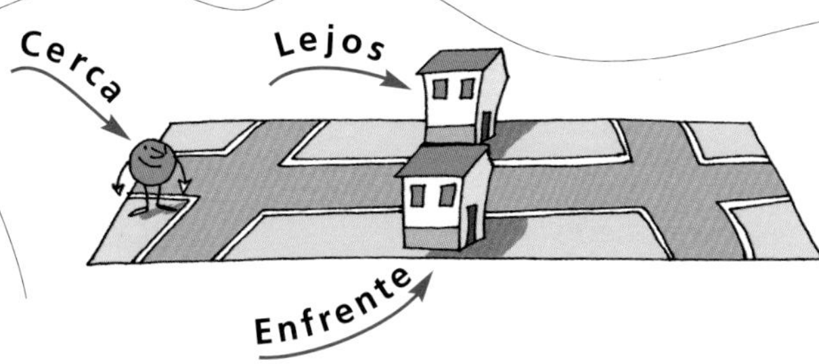

ADVERBIOS DE TIEMPO

A. Ahora, hoy, anoche, ayer, mañana, temprano, tarde, antes, después.

José Luis está estudiando ahora. *Ayer fue al cine.*

Anoche se acostó tarde. *Hoy se ha levantado temprano.*

Mañana tiene un examen.

Lávate las manos antes.

Desayuna y después vete al colegio.

Usa aquí, arriba, abajo:

- **Para dar información sobre circunstancias de lugar:**

  – *¿Vives por aquí?*
  - *No, vivo muy lejos.*

  Ahí hay una parada de autobús.

Usa hoy, mañana, temprano:

- **Para dar información sobre circunstancias de tiempo:**

  ¿Tenéis clase mañana?

  Los domingos no me levanto temprano.

Ejercicios

1. Completa con *aquí, ahí o allí.*

2. **Completa con *abajo, arriba, cerca, lejos, enfrente, debajo, encima, delante, detrás, dentro, fuera.***

3. Hoy es 5 de marzo. Observa las ilustraciones y completa las frases con *ahora, anoche, ayer, hoy* o *mañana*.

a. Gloria está viendo la tele ....ahora......... .

b. .... ha tenido un examen de lengua.

c. .... se encontró con un amigo.

d. .... estudió con una amiga.

e. .... va a ir a bailar con sus amigos.

4. Completa las frases con *temprano, tarde, antes, después*.

a. Anoche llegué ....tarde......... a casa y mis padres se enfadaron.

b. Los domingos no me levanto .... Me levanto a las diez.

c. Puedes ir al cine, pero .... acaba los deberes.

d. Primero conecta el ordenador y .... introduce el disquete.

e. Habéis llegado .... La clase ha empezado ya.

f. Esta noche me voy a acostar .... Voy a estudiar.

g. Ahora tengo clase. Te veo ....

h. Mañana puedes salir, pero .... tienes que recoger tu habitación.

16 Es guapísimo, muy simpátic

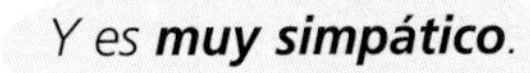

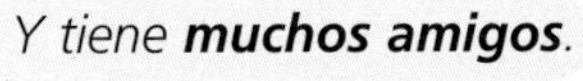

ADJETIVOS Y ADVERBIOS DE CANTIDAD

A. Muy, mucho, bastante, un poco, poco, demasiado

\+ muy — bastante — un poco — poco −   • demasiado

+ adjetivo
adverbio

Gloria es muy lista.
Ese CD es un poco caro.
Es bastante tarde.
Néstor es poco cariñoso.
Son las 6. Es demasiado temprano.

verbo +   + mucho — bastante — poco −   • demasiado

Sara estudia mucho.
Javi come poco.
Mario corre bastante.
María come demasiado.

B. Mucho/a/os/as, bastante/es, poco/a/os/as, demasiado/a/os/as

\+ mucho/a/os/as — bastante/es — poco/a/os/as −   • demasiado/a/os/as

+ nombre

Hay bastante gente en el cine.
María tiene muchas amigas.
He comprado demasiadas patatas.
Hay poca comida en la nevera.

C. –ísimo.

adjetivo (- vocal final) + ísimo/a/os/as

inteligente-e + ísimo/a/os/as = inteligentísimo/a/os/as
fácil + ísimo/a/os/as = facilísimo/a/os/as

Las preguntas eran facilísimas.

tiene muchos amigos

adverbio (- vocal final) + ísimo

temprano-o + ísimo = tempranísimo
rápido-o + ísimo = rapidísimo

Clara corre rapidísimo.

poco ➧ *poquísimo*
largo ➧ *larguísimo*
amable ➧ *amabilísimo*
joven ➧ *jovencísimo*
antiguo ➧ *antiquísimo*

La casa de Antón es antiquísima.

- ***Un poco*** **se usa con adjetivos negativos y tiene un significado negativo.** ***Poco*** **expresa el significado contrario que tiene el adjetivo al que acompaña.**

Andrés es un poco vago. (= Andrés es vago.)
Julia es poco vaga. (= Julia no es vaga, es trabajadora.)

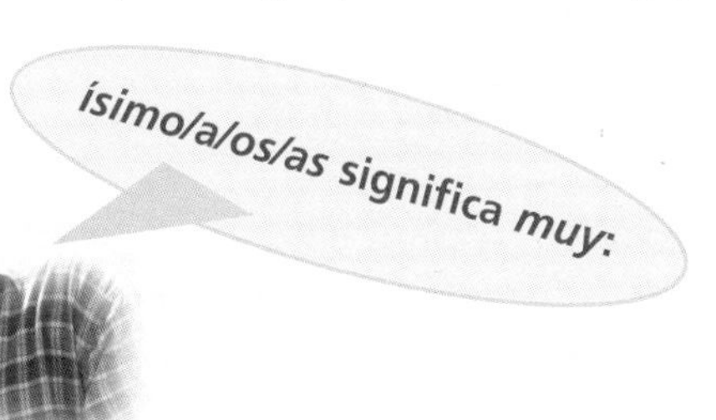

El examen fue facilísimo. = El examen fue muy fácil.

Demasiado significa en exceso:

Maribel duerme diez horas al día. Duerme demasiado.

Ejercicios

1 a. Observa la clave y la tabla y completa las frases con *muy, bastante, un poco* o *poco.*

\+ ———————————————————— −

+++   ++   +   -

	inteligente	educado	tímido	simpático	estudioso	egoísta	orgulloso
JAVI	+++	-	-	+++	-	+	+
MARÍA	++	+++	+	+++	++	+	+++
ANABEL	++	+++	+++	++	-	-	+++

a. Javi es ....*muy*.... simpático, pero ....*poco*.... estudioso.

b. María y Anabel son .... inteligentes y .... educadas.

c. María es .... tímida, pero es .... simpática.

d. Anabel es .... simpática, pero es .... tímida.

e. Javi es .... inteligente, pero es .... estudioso.

f. María y Javi son .... egoístas.

g. Anabel es .... egoísta, pero es .... orgullosa.

h. Javi es .... orgulloso.

1 b. Completa estas frases sobre los personajes con los adjetivos correspondientes en *ísimo/a/os/as.*

a. Javi es ....inteligentísimo.... .

b. María y Anabel son ....

c. Anabel es ....

d. Javi y María son ....

e. María y Anabel son ....

2. Completa con *muy, poco* o *demasiado.*

a. Fidel es .....muy..... fuerte. Puede levantar treinta kilos.

b. Hemos llegado .... temprano. Las tiendas no han abierto todavía.

c. Anabel es .... rápida. Corre 100 metros en 11 segundos.

d. Este CD es .... caro. Vale 20 euros.

e. Zenón es .... cariñoso. No quiere a nadie.

f. No puedes ver esta película. Eres .... joven.

g. No te compres esos pantalones. Son .... grandes para ti.

h. Paz canta .... bien. Va a grabar un disco.

i. No puedo entrar por esa puerta. Es .... pequeña para mí.

j. Julia es .... trabajadora. Está siempre cansada.

3. Completa con *poco* o *un poco.*

a. Vamos a casa. Es .....un poco..... tarde.

b. Fidel es .... alegre. Está siempre triste.

c. Julia es .... estudiosa. No le gusta estudiar.

d. Zenón no es muy agradable. Es .... antipático.

e. Araceli es .... perezosa. No le gusta trabajar.

f. Gerardo es .... perezoso. Es muy activo.

4. Observa las ilustraciones y completa con *mucho/a/os/as, bastante/es, poco/a/os/as* o *demasiado/a/os/as.*

a. Hay ....mucha.... gente.

b. Hay .... gente.

c. Hay .... gente.

d. Hay .... gente.

e. Hay .... coches.

f. Hay .... ruido.

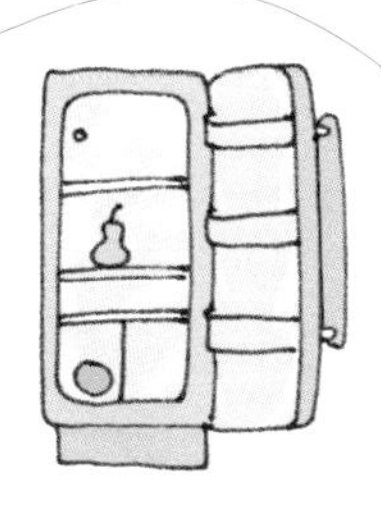

g. Hay .... comida.

h. Hay .... casas.

i. Tiene .... videojuegos.

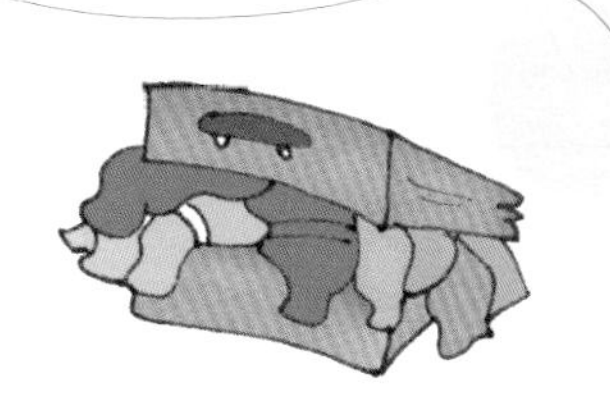

j. Hay .... ropa.

k. Tiene .... libros.

l. Hay .... flores.

5. Lee la información sobre Santi. Di si te parece *mucho, bastante, poco* o *demasiado.*

a. Santi duerme seis horas al día. *Santi duerme poco* .
b. Sale todos los días. ....
c. Estudia una hora a la semana. ....
d. Va tres días a la semana al gimnasio. ....
e. Ve cuatro horas al día la televisión. ....
f. Gasta cinco euros en revistas todas las semanas. ....
g. Se ducha una vez a la semana. ....
h. Juega todos los días al fútbol. ....
i. Juega con la videoconsola dos horas al día. ....

6. Lee la información sobre los personajes y sustituye las expresiones subrayadas por expresiones con *ísimo/a/os/as.*

a. Javi es muy rápido. *Javi es rapidísimo* .
b. Es muy simpático. ....
c. Sus padres son muy jóvenes. ....
d. Su hermana es muy guapa. ....
e. Tiene un ordenador muy potente. ....
f. Ayer hizo un examen muy difícil. ....
g. Su hermano pequeño es muy malo. ....
h. A veces se acuesta muy tarde. ....

i. Nati es una chica muy lista. ....
j. Es muy amable. ....
k. Tiene el pelo muy largo. ....
l. Y los ojos muy grandes. ....
m. Sus hermanos son muy inteligentes. ....
n. Vive en una casa muy antigua. ....
ñ. Tiene muy pocos amigos. ....
o. Se levanta siempre muy temprano. ....

7. Completa el texto con las palabras entre paréntesis en la forma correcta.

Lina es ......muy...... simpática (muy). Tiene unos ojos .....2..... grandes (muy) y el pelo .....3..... (bastante) largo. Tiene .....4..... amigas (mucho), pero sale .....5..... (poco). Le gusta leer y estudiar. Tiene .....6..... libros (bastante) y estudia .....7..... (mucho).

&

Lina practica .....8..... deportes (mucho): esquí, natación, atletismo... Además, como es .....9..... alta (bastante) juega .....10..... bien (muy) al baloncesto.

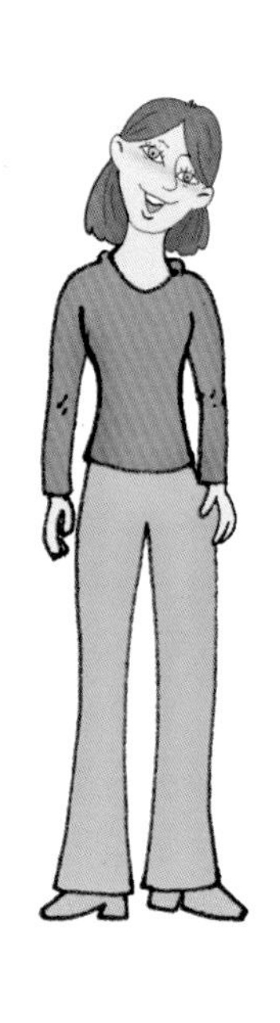

Lina colecciona sellos. Tiene .....11..... (poco) porque ha empezado hace .....12..... tiempo (poco), pero algunos son .....13..... bonitos (muy).

&

Sus padres no le dan .....14..... dinero (mucho) a la semana, pero está ahorrando para comprarse un ordenador. Le gusta .....15..... la informática (mucho).

&

8. ¿Y cómo eres tú? Completa estas frases según tu caso.

a. Soy .....bastante..... inteligente.

b. Soy .... tímido/a.

c. Soy .... estudioso/a.

d. Duermo ....

e. Como ....

f. Estudio ....

g. Salgo ....

h. Tengo .... amigos/as.

i. Como .... dulces.

Tengo más amigos que tú

Brasil tiene **más habitantes** que España.

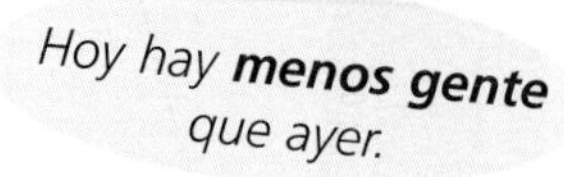

Tengo diez euros.

Tienes **tanto dinero** como yo. Yo también tengo diez euros.

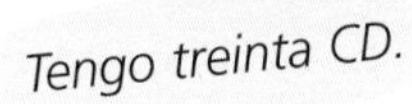

Yo tengo **más**. Tengo cuarenta y cinco.

COMPARACIÓN CON SUSTANTIVOS

+ **más + sustantivo (+ que)**	*Tengo más CD que tú.* *Mi hermana tiene más amigas que yo.*
– **menos + sustantivo (+ que)**	*Luis tiene menos dinero que Arancha.* *Hoy tengo menos hambre que ayer.*
= **tanto, tanta + sustantivo singular** **tantos, tantas + sustantivo plural** **(+ como)**	*Hoy no tengo tanta hambre (como ayer).* *Tengo tantos amigos como vosotros.*

Usa *más, menos, tanto/a/os/as:*

- **Para comparar cantidades con sustantivos:**

  Luisa tiene 80 euros. Laura tiene 80 euros. ➧ *Laura tiene tanto dinero como Luisa.*

- ***Más, menos* y *tanto/a/os/as* pueden usarse solos cuando está claro de que se está hablando:**

  – Tengo 350 sellos en mi colección.
  • Yo tengo más. Tengo 525.

- **Con tanto/a/os/as en frases afirmativas hay que usar siempre *como* + el segundo término de comparación:**

  – *Elisa tiene muchos amigos.*
  • *Pues Soralla tiene tantos como ella.* ~~*Pues Soralla tiene tantos.*~~

  – *Tengo unos dos mil sellos.*
  • *Yo no tengo tantos. Tengo unos mil quinientos.*

Ejercicios

1. Observa las ilustraciones y completa las frases con las palabras siguientes y *más* o *menos*.

calor ❖ dinero ❖ frío ❖ gente ❖ hambre ❖ libro ❖ sueño ❖ habitantes

a. Hoy hace *más calor* *que ayer*.

b. Ayer hizo ....

c. Sebas tiene ....

d. Hoy hay ....

e. Yolanda tiene ....

f. Hoy tengo ....

g. Hoy tengo ....

h. Perú tiene ....

2. Observa la ilustración y compara el pueblo ahora y hace veinticinco años. Usa las palabras entre paréntesis.

a. (coche) Ahora hay *más coches que antes* .

b. (árbol) Antes había ....

c. (carretera) Antes había ....

d. (ruido) Antes había ....

e. (contaminación) Ahora hay ....

f. (agua) Ahora el río tiene ....

g. (casa) Ahora hay ....

h. (iglesia) Antes había ....

3. Compara las colecciones de estos dos personajes. Usa las palabras siguientes.

a. Araceli tiene ......*tantos sellos como Ismael*...... (sellos).

b. Ismael tiene .... (billetes de banco).

c. Ismael tiene .... (búhos).

d. Araceli tiene .... (campanas).

e. Ismael tiene .... (llaveros).

f. Araceli tiene .... (monedas).

g. Ismael tiene .... (plumas).

h. Ismael tiene .... (postales).

4. Completa las frases.

a. Tengo dos hermanas. — Yo tengo ...*más*... . Tengo tres.

b. Tengo diez videojuegos. — Yo no tengo .... Tengo siete.

c. Conozco cuatro países. — Yo conozco .... Conozco seis.

d. Tengo cuarenta CD. — Yo tengo .... Sólo tengo veinte.

e. Tengo diez camisetas de fútbol. — Yo no tengo .... Sólo tengo cinco.

f. He visitado seis parques temáticos. — Yo he visitado .... Sólo he visitado tres.

g. Tengo 200 reales. — Yo tengo .... Tengo 300.

h. Tengo 16 años. — Yo tengo .... Sólo tengo 14.

i. Hoy hay veinte alumnos en clase. — Ayer había .... Había veinticinco.

j. Tengo seis amigas. — Yo no tengo .... Sólo tengo cuatro.

18 Me encanta bailar

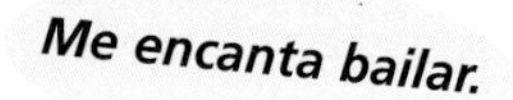

Voy al conservatorio. Estoy **aprendiendo a tocar** la guitarra.

Raquel **sueña con ser** una gran bailarina.

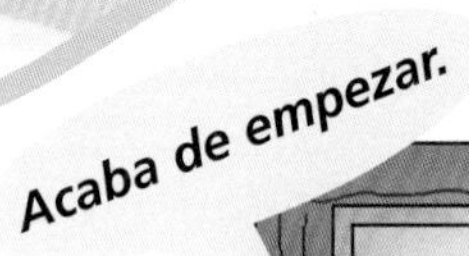

¡Se va a caer!

VERBOS SEGUIDOS DE INFINITIVO

A. Verbo + infinitivo

deber, decidir, dejar, encantar, esperar, gustar, hacer, necesitar, poder, preferir, querer, saber

Mis padres no me dejan salir por la noche.
¿Sabe hablar español?

B. Verbo + a + infinitivo

aprender, ayudar, empezar, enseñar, salir, irse, venir

Isabel me ayuda a hacer los ejercicios.
Venid a verme el domingo.

C. Verbo + de + infinitivo

acordarse, olvidarse, avergonzarse

Acuérdate de hacer los deberes.
Me he olvidado de cerrar la puerta.

D. Verbo + con + infinitivo

soñar

Raquel sueña con viajar a Japón.

Infinitivo-me/te...

¿Puedes ayudarme? / ¿Me puedes ayudar? *Va a caerse. / Se va a caer.*

Para la forma negativa del Infinitivo, se coloca *no* delante del verbo:

Prefiero no comer nada ahora.

Algunas veces van juntos más de dos verbos:

Espero poder acabar el trabajo. *¿Puedes ayudarme a lavar el coche?*

Algunas construcciones con infinitivo tienen significados especiales:

- ***dejar de*** **indica el final de una situación o de una acción:**
  Mi padre ha dejado de fumar. (Mi padre ya no fuma.)
  Deja de cantar. (No cantes más.)

- ***acabar de*** **indica que algo ha sucedido muy recientemente:**
  Acabo de ver a Anita. (He visto a Anita hace un momento.)

- ***ir a*** **indica planes, intenciones o que algo está a punto de pasar:**
  Voy a estudiar un rato. (Tengo intención de estudiar.)
  Mañana vamos a hacer una fiesta. (Tenemos el plan de hacer una fiesta mañana.)
  Va a empezar el partido.

- ***tener que*** **indica obligación o necesidad:**
  Lucía no puede salir. Tiene que estudiar.

- ***hay que*** **indica que algo es obligatorio o necesario para todos / en general:**
  Para poder conducir un coche hay que tener dieciocho años.
  No hay que hablar con la boca llena.

- ***soler*** **se usa para hablar de acciones que hacemos habitualmente:**

(yo)	(tu)*	(usted)	(él, ella)	(nosotros/as)	(vosotros/as)**	(ustedes)	(ellos/ellas)
suelo	sueles	suele	suele	solemos	soléis	suelen	suelen

¿Adónde sueles ir en verano?
(¿Adónde vas normalmente en verano?)

Ejercicios

1. ¿Qué le dejan o no le dejan hacer sus padres a Sonia? ¿Qué le hacen hacer? Escribe frases con las expresiones entre paréntesis y *dejar* o *hacer*.

a. (traer amigas a casa.)
Mis padres me dejan traer amigos a casa .

b. (hacer fiestas en casa.)
....

c. (salir los sábados por la noche.)
....

d. (estudiar todos los días.)
....

e. (ver la tele durante la semana.)
....

2. Completa las frases con los verbos siguientes en forma afirmativa o negativa.

abrir ❖ bailar ❖ beber ❖ caerse ❖ decir ❖ lavarse ❖ sentarse ❖ utilizar ❖ viajar

3. Lola va mal en el instituto. Dale consejos con *deberías / no deberías* y las expresiones siguientes.

a. estudiar más b. faltar a clase c. llegar tarde a clase d. pedir ayuda a tus compañeros e. prestar atención en clase f. salir todos los días

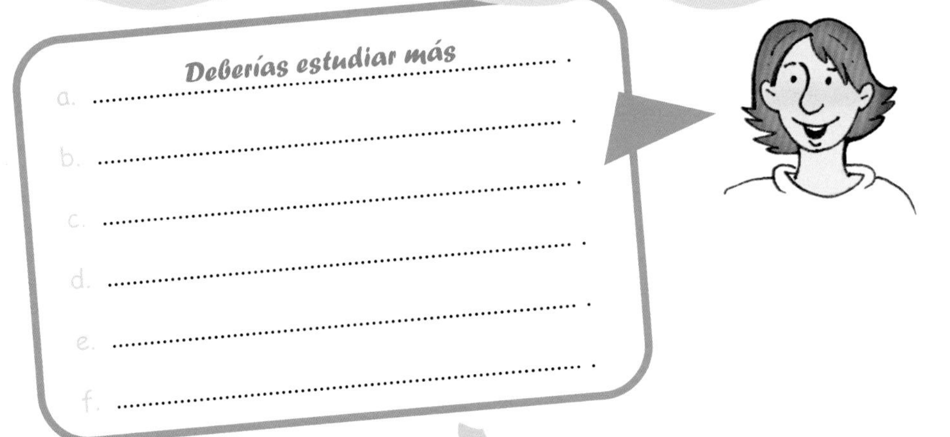

4. Completa las frases con *a*, *de* o *con* y los verbos siguientes.

cocinar ❖ estudiar ❖ hacer ❖ jugar ❖ repasar ❖ ser ❖ tener ❖ tocar

a. – ¿Está Arturo?

• No, se ha ido ....*a jugar*.... al tenis.

b. ¿Me ayudas .... los ejercicios?

c. No os olvidéis .... la lección 12.

d. Araceli sueña .... astronauta.

e. – ¿Cuándo empezaste .... español?

• Hace dos años.

f. Tengo que aprender .... Es muy útil.

g. El padre de Carmelo le está enseñando .... el saxofón.

h. No tienes que avergonzarte .... la nariz grande.

5. ¿Qué acaban de hacer los personajes? Observa las ilustraciones y escriba las frases con *acabar de* y las expresiones siguientes.

comerse un helado	a. Adán ....*acaba de ducharse*.... .
comprarse un libro	b. Javi ....
despertarse	c. La mamá de Alberto ....
ducharse	d. María y Ramón ....
encontrarse un billete	e. Simón y Marta ....
regresar de viaje	f. Antonio ....
tener un accidente	g. Andrea ....
tener un niño	h. Gloria y Fidel ....

6. **¿Qué van a hacer los personajes? Observa las ilustraciones y escribe frases con *ir a* y los verbos y sustantivos de los recuadros.**

abrir ❖ coser ❖ escuchar ❖ escribir
hacer ❖ jugar ❖ pescar ❖ tocar ❖ ver

al tenis ❖ el piano ❖ la tele ❖ música
una carta ❖ una lata ❖ una llamada ❖ un botón

a. *Va a tocar el piano*.
b. ....
c. ....
d. ....
e. ....
f. ....
g. ....
h. ....
i. ....

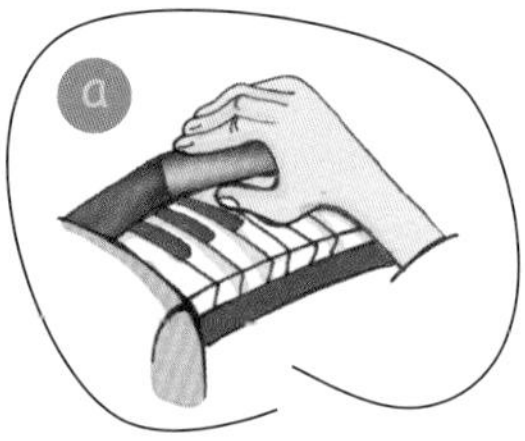

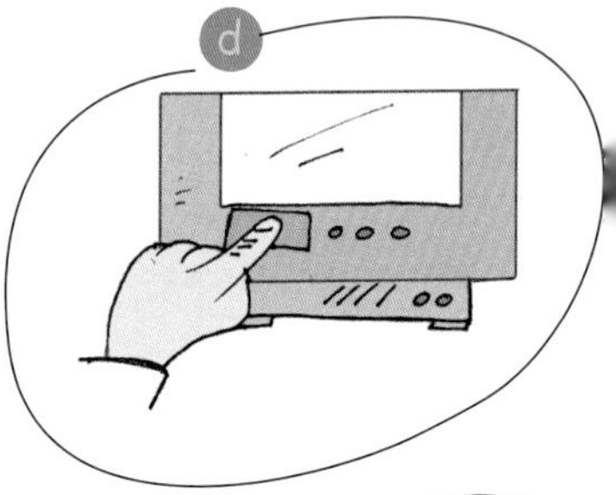

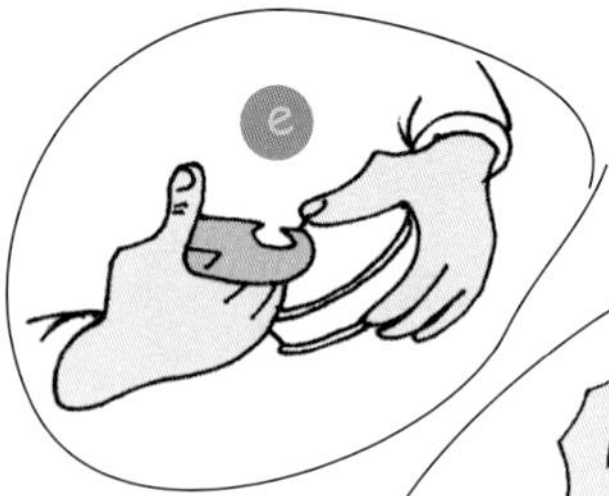

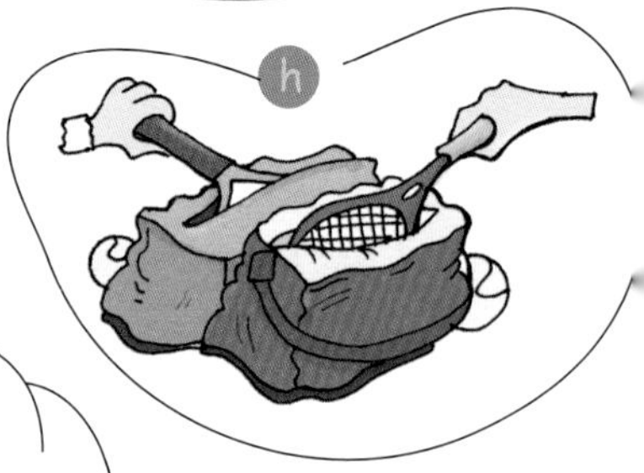

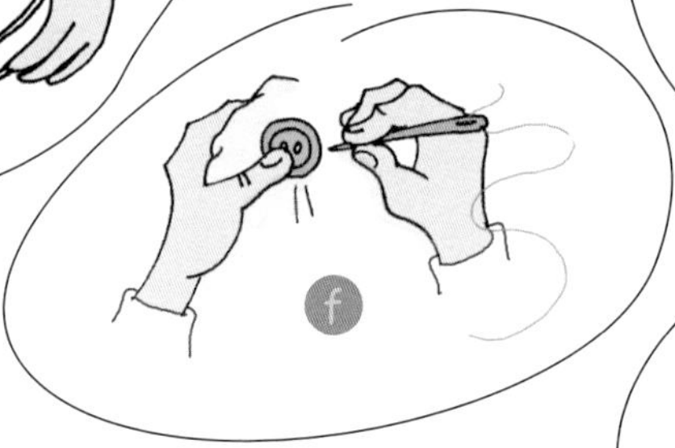

7. **¿Qué tienen / no tienen que hacer? Completa las frases con *tener que* en forma afirmativa o negativa y los verbos siguientes.**

cocinar ❖ coger ❖ estar ❖ estudiar ❖ hacer ❖ levantarse

a. No puedo salir. *Tengo que estudiar*.
b. Para ir al instituto, María José .... un autobús.
c. Los domingos .... temprano. No tengo clase.
d. Ramón .... la cama todos los días.
e. Mi hermana y yo .... Comemos en el instituto.
f. ¿A qué hora .... ustedes en casa de Pili?

8. ¿Qué hay que hacer en los siguientes concursos? Escribe frases con *hay que* y las expresiones siguientes.

adivinar personajes famosos ❖ adivinar lugares ❖ cantar y bailar
contestar preguntas ❖ encontrar un tesoro ❖ resolver un crimen ❖ superar pruebas

a. *'Crimen y castigo'* ......Hay que resolver un crimen...... .
b. *'El tesoro perdido'* ....
c. *'La pregunta del millón'* ....
d. *'Artistas futuros'* ....
e. *'¿Quién soy?'* ....
f. *'¿Dónde está Lucho Bravo?'* ....
g. *'¿Te atreves?'* ....

9. Completa las frases con la forma adecuada de *soler* y los verbos siguientes.

cenar ❖ hacer ❖ hacer ❖ ir ❖ levantarse ❖ salir

a. ......Suelo ir...... andando al cole.
b. En mi casa .... muy temprano.
c. .... con mis amigos una vez a la semana.
d. Mis padres .... a las seis todos los días.
e. Alfredo y Basi .... un viaje todos los años.
f. ¿Qué .... los sábados?

10. Completa las frases con las formas adecuadas de *dejar de, acabar de, ir a, tener que, hay que* o *soler.*

a. Ganamos 1-0. Julián ......acaba de...... meter un gol.
b. Mi padre quiere .... fumar. Le hace mucho daño.
c. Para ingresar en la universidad .... aprobar un examen.
d. Los domingos no .... salir por la noche.
e. Este verano .... viajar a Perú. Queremos ver Machu Picchu.
f. .... llamar Antonia. Quiere que la llames.
g. Esta noche .... estudiar. Mañana tengo un examen.
h. ......Hay que...... ser educado con las personas mayores.
i. Mi hermano y yo hemos .... jugar con videojuegos. Son para niños.
j. Rosa no puede salir esta noche. .... cuidar a su hermano.

19 Quiero que me ayudes

PRESENTE DE SUBJUNTIVO (1)

A. Verbos regulares

* (vos) hables
comas
vivas

** (ustedes) hablen
coman
vivan

	verbos acabados en -ar	verbos acabados en -er, -ir	
	HABLAR	COMER	VIVIR
(yo)	hable	coma	viva
(tú)*	hables	comas	vivas
(usted)	hable	coma	viva
(él,ella)	hable	coma	viva
(nosotros/as)	hablemos	comamos	vivamos
(vosotros/as)**	habléis	comáis	viváis
(ustedes)	hablen	coman	vivan
(ellos/as)	hablen	coman	vivan

B. Verbos irregulares

¡OJO!	(yo)	(tu)	(usted)	(él, ella)	(nosotros/as)	(vosotros/as)	(ustedes)	(ellos/ellas)
DAR	dé	des	dé	dé	demos	deis	den	den
ESTAR	esté	estés	esté	esté	estemos	estéis	estén	estén
SER	sea	seas	sea	sea	seamos	seáis	sean	sean
VER	vea	veas	vea	vea	veamos	veáis	vean	vean

Usa el *Presente de Subjuntivo*:

- **Para expresar deseos con los verbos *esperar, preferir, querer* cuando el verbo del deseo se refiere a una persona diferente:**

  Mis padres quieren que estudie Medicina.
  (ellos) (yo)

  Espero que el examen sea fácil.
  (yo) (ello)

- **También se pueden expresar deseos con *¡Que!* y *¡Ojalá!* + *Presente de Subjuntivo.***

  ¡Que seáis muy felices! *¡Ojalá aprobemos!*

- **Para expresar diversos sentimientos con los verbos y expresiones siguientes cuando se refieren a una persona diferente:**

alegría: alegrarse de.	*Me alegro de que os guste mi camisa.*
agrado: encantar, gustar.	*Me encanta que me regalen cosas.*
desagrado: fastidiar, odiar.	*Antonio odia que le llamen Toni.*
sorpresa: extrañar, llamar la atención.	*Me extraña que no estén en casa.*
molestia: molestar, poner nervioso, estar harto de.	*Estoy harto de que Blas me engañe.*

No te olvides de usar *que* detrás del primer verbo:

Prefiero que hablemos mañana.
A mi madre le encanta que haga deporte.

Ejercicios

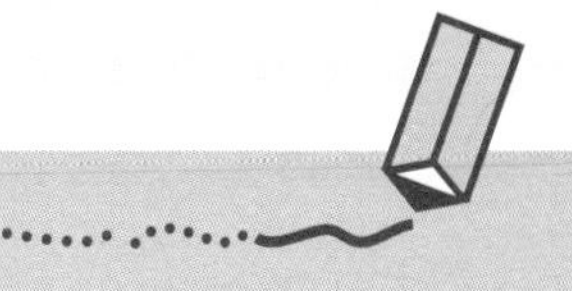

1. Escribe las formas del *Presente de Subjuntivo* de los verbos siguientes.

	amar	lavarse	correr	subirse
(yo)	....	....	....	....
(tú)	....	....	....	....
(usted)	....	....	....	....
(él, ella)	....	....	....	....
(nosotros/as)	....	....	....	....
(vosotros/as)	....	....	....	....
(ustedes)	....	....	....	....
(ellos/as)	....	....	....	....

2. **¿Qué deseos expresan estos personajes? Completa las frases con la forma adecuada de los verbos siguientes en forma afirmativa o negativa.**

3. **¿Qué quieren que haga Borja? Escribe frases con *querer*, como en el ejemplo.**

a. Adolfo quiere que le deje la bici.
b. ....
c. ....
d. ....
e. ....
f. ....
g. ....
h. ....

4. Lee estas frases de Diana y únelas. Haz los cambios necesarios.

a. Ramón me gasta bromas. Estoy harta. *Estoy harta de que Ramón me gaste bromas*.

b. Me regalan flores. Me encanta. ....

c. Benito se come las uñas. Me pone nerviosa. ....

d. Mar no me llama nunca. Me extraña. ....

e. A Julia le gustan mis cuadros. Me alegro. ....

f. Mis padres me llaman Dianita. No me gusta. ....

g. Arturo llega siempre tarde. Me molesta. ....

h. Las hermanas de Clara no salen nunca. Me llama la atención. ....

i. Mi hermana me quita mis pendientes. Lo odio. ....

j. Daniel me coge los apuntes de clase. Estoy harta. ....

5. Completa las frases con los verbos siguientes.

comprar ❖ dar ❖ dar ❖ estar ❖ hablar ❖ invitar ❖ estar
leer ❖ llamar ❖ quitar ❖ ser ❖ ver ❖ ver ❖ vivir

a. Ven a casa. Quiero que *veas* mi nuevo equipo de música.

b. Rosario espera que Arnaldo la .... a su fiesta.

c. Me alegro de que .... todos contentos. Me gusta veros felices.

d. No me gusta que .... con la boca llena, Emilio.

e. Juan está harto de que (yo) le .... la bici.

f. Hasta luego, Abel. Espero que me .... pronto.

g. Me encanta que (nosotras) .... en el mismo barrio.

h. – ¿Quieres que (yo) te .... un regalo o prefieres que te .... dinero?

• Prefiero que me .... dinero.

i. Me llama la atención que (vosotros) .... siempre enfadados.

j. Espero que .... amable con Doña Josefa, Darío.

k. No miréis. No quiero que .... lo que estoy dibujando.

l. A mi padre no le gusta que (yo) .... novelas policíacas.

20 Espero que no llueva

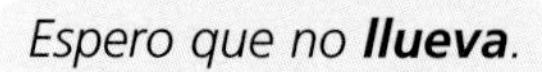

PRESENTE DE SUBJUNTIVO (2)

Algunos verbos irregulares

A. **e ▸ ie**

	(yo)	(tu)*	(usted)	(él, ella)	(nosotros/as)	(vosotros/as)*	(ustedes)	(ellos/ellas)
CERRAR	cierre	cierres	cierre	cierre	cerremos	cerréis	cierren	cierren

También despertar(se), entender

* (vos) cierres ** (ustedes) cierren

e ▸ ie / i

	(yo)	(tu)*	(usted)	(él, ella)	(nosotros/as)	(vosotros/as)*	(ustedes)	(ellos/ellas)
MENTIR	mienta	mientas	mienta	mienta	mintamos	mintáis	mientan	mientan

También divertirse, preferir

* (vos) mientas ** (ustedes) mientan

e ▸ i

	(yo)	(tu)*	(usted)	(él, ella)	(nosotros/as)	(vosotros/as)*	(ustedes)	(ellos/ellas)
CORREGIR	corrija	corrijas	corrija	corrija	corrijamos	corrijáis	corrijan	corrijan

También elegir, pedir, vestirse

* (vos) corrijas ** (ustedes) corrijan

B. **o ▸ ue**

	(yo)	(tu)*	(usted)	(él, ella)	(nosotros/as)	(vosotros/as)*	(ustedes)	(ellos/ellas)
PODER	pueda	puedas	pueda	pueda	podamos	podáis	puedan	puedan

También acostarse, aprobar, costar

* (vos) puedas ** (ustedes) puedan

C. **z ▸ zc**

	(yo)	(tu)*	(usted)	(él, ella)	(nosotros/as)	(vosotros/as)*	(ustedes)	(ellos/ellas)
CONOCER	conozca	conozcas	conozca	conozca	conozcamos	conozcáis	conozcan	conozcan

También obedecer, conducir

* (vos) conozcas ** (ustedes) conozcan

D.

	(yo)	(tu)*	(usted)	(él, ella)	(nosotros/as)	(vosotros/as)*	(ustedes)	(ellos/ellas)
IR	vaya	vayas	vaya	vaya	vayamos	vayáis	vayan	vayan
DECIR	diga	digas	diga	diga	digamos	digáis	digan	digan
HACER	haga	hagas	haga	haga	hagamos	hagáis	hagan	hagan
SALIR	salga	salgas	salga	salga	salgamos	salgáis	salgan	salgan
TENER	tenga	tengas	tenga	tenga	tengamos	tengáis	tengan	tengan
VENIR	venga	vengas	venga	venga	vengamos	vengáis	vengan	vengan
SABER	sepa	sepas	sepa	sepa	sepamos	sepáis	sepan	sepan

* (vos) vayas, digas, hagas, salgas, tengas, vengas, sepas.
** (ustedes) vayan, digan, hagan, salgan, tengan, vengan, sepan.

Recuerda. Usa el Presente de Subjuntivo:

- **Para expresar deseos con los verbos y expresiones siguientes: *esperar, preferir, querer, tener ganas de* cuando el verbo del deseo se refiere a una persona diferente:**

  Prefiero que vengáis mañana.
  (yo) (vosotros)

  .... y con *¡Que!* y *¡Ojalá!*
  ¡Que tengas un buen día!

- **Para expresar diversos sentimientos con los verbos y expresiones siguientes cuando se refieren a una persona diferente:**

alegría: alegrarse de. **desagrado:** fastidiar, odiar. **sorpresa:** extrañar, llamar la atención, parecer curioso.	**agrado:** encantar, gustar. **miedo:** dar miedo, tener miedo de. **preocupación:** preocupar.
molestia: importar, molestar, poner nervioso, estar harto de.	

Me preocupa que no me quieran.
Javi está harto de que no le entiendan.

Ejercicios

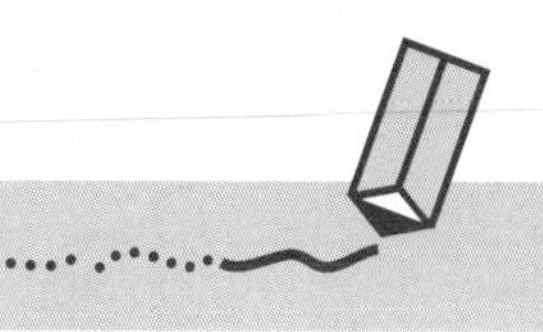

1. Escribe las formas del *Presente de Subjuntivo* de los verbos siguientes.

	pensar	divertirse	elegir	soñar
(yo)	....	....	....	....
(tú)	....	....	....	....
(usted)	....	....	....	....
(él, ella)	....	....	....	....
(nosotros/as)	....	....	....	....
(vosotros/as)	....	....	....	....
(ustedes)	....	....	....	....
(ellos/as)	....	....	....	....

2. Completa con los verbos siguientes.

caerse ❖ dormir ❖ hacer ❖ llover ❖ nevar ❖ poner ❖ ponerse ❖ saber ❖ tener ❖ tener

a) ¡Que ...tengáis... buen viaje!

b) Buenas noches. ¡Que .... bien!

c) Tengo miedo de que .... un accidente.

d) ¡Ojalá .... pronto!

e) Odio que .... frío.

Pues a mí me encanta que ....

f) ¿Queréis que os .... el vídeo de las vacaciones?

g) Cuidado, Doña Joaquina. Me da miedo que ....

h) Espero que .... montar.

i) Prefiero que .... la chaqueta azul.

3. ¿Qué esperan estas personas de Daniel? Completa las frases con las expresiones dadas en afirmativa o negativa.

4. Escribe lo que dice Susana en una sola frase. Haz los cambios necesarios.

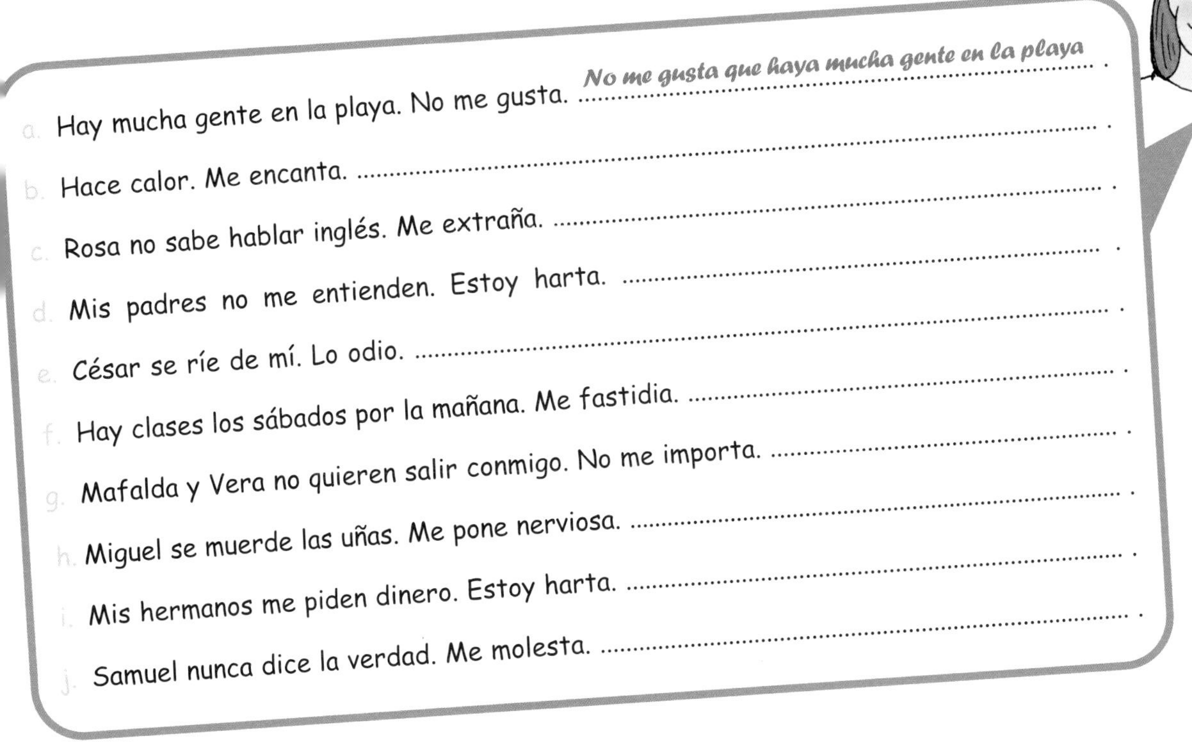

5. Un grupo de turistas está visitando un país exótico. Escribe sus comentarios sobre los aspectos mencionados.

a. Todos los hombres tienen barba. Me llama la atención *que todos los hombres tengan barba*.

b. Las niñas juegan al fútbol. Me encanta ....

c. Los casas no tienen techo. Me extraña ....

d. Las mujeres conducen los taxis. Me parece curioso ....

e. Hay un loro en todas las casas. Me encanta ....

f. Todos los niños saben nadar. Me alegro de ....

g. Los estudiantes tienen las clases al aire libre. Me encanta ....

h. No hay bancos. Me llama la atención ....

6. Completa las frases con los verbos siguientes.

conducir ❖ conocer ❖ costar ❖ despertar ❖ divertirse ❖ hacer ❖ hacer ❖ ir
perderse ❖ salir ❖ salir ❖ jugar ❖ ir

a. Espero que (vosotros) *os divirtáis* en mi fiesta.

b. Tengo ganas de que .... a mi novio, Marta.

c. Sandra quiere que (nosotros) .... el sábado. Quiere que .... al cine.

d. Quiero que me .... usted un favor, don Sebastián.

e. Espero que mañana .... buen tiempo.

f. A mis padres no les gusta que (yo) .... de noche.

g. - Rubén quiere que (nosotros) .... a la sierra en su coche.

• Espero que (él) .... bien.

h. Es muy fácil llegar a casa de Montse. Espero que no .... ustedes.

i. Martín quiere que (yo) .... en el equipo del colegio.

j. Quiero que me .... usted a las siete, doña María.

k. Me gusta ese abrigo. Espero que no .... mucho.

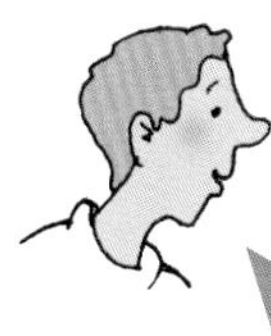

7. Bruno está hablando con su abuela. Completa los comentarios de la abuela.

a. Sé esquiar.
b. Hago alpinismo.
c. Tengo novia.
d. Salgo todas las noches.
e. Quiero ser médico.
f. Me duele la cabeza.
g. No puedo ir esta semana a tu casa.

Me encanta *que sepas esquiar*.
No me gusta ....
Me alegro de ....
No me gusta ....
Me encanta ....
Me preocupa ....
No me importa ....

8. Completa con los verbos siguientes en forma afirmativa o negativa.

dormir ❖ hacer ❖ jugar ❖ saber ❖ sentarse ❖ tener

a) Espero que *sepan* montar.

b) ¡Que .... buen viaje!

c) Me molesta que .... en las mesas.

d) Espero que .... bien.

e) Escuchen. Quiero que .... el ejercicio 3.

f) ¡Niños! No quiero que .... en el salón.

21 Quiero estudiar / Quier

VERBOS Y EXPRESIONES SEGUIDOS DE INFINITIVO O SUBJUNTIVO

encantar • esperar • fastidiar • gustar • importar • necesitar • odiar • preferir • querer

dar miedo • estar harto de • poner nervioso • tener ganas de • tener miedo de

Verbo + Infinitivo	Verbo + que + Presente de Subjuntivo
No me gusta llevar vaqueros.	*No me gusta que lleves vaqueros.*
Prefiero salir mañana.	*Prefiero que salgamos el domingo.*

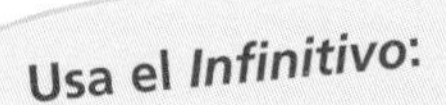

- **Detrás de los verbos y expresiones indicados cuando los dos verbos se refieren a la misma persona:**

Espero poder ir a tu fiesta.
(yo) (yo)

Me da miedo salir de noche.
(a mí) (yo)

- **Detrás de esos mismos verbos y expresiones cuando los dos verbos se refieren a personas diferentes:**

Espero que podáis venir a mi fiesta.
(yo) (vosotras)

Me da miedo que mis hijos salgan de noche.
(a mí) (ellos)

Ejercicios

1. ¿Qué quiere Ramiro? Observa las ilustraciones y completa las frases con los verbos siguientes.

comer ❖ comprar ❖ dejar ❖ explicar ❖ fumar ❖ ir ❖ irse ❖ llamar ❖ prestar

a. *Ramiro quiere comprar* unos vaqueros.

¡No fumes papá!

b. *Ramiro no quiere* *que su padre fume* .

Tengo hambre.

c. ....

¿Me dejas los apuntes de matemáticas, Ana?

d. ....

¿Vamos al cine?

e. ....

¿Me prestas diez euros, Trini?

f. ....

Llámame el sábado, Santi.

g. ....

¿Nos vamos?

No, me gusta la fiesta.

h. ....

¿Me puede explicar este problema?

i. ....

2. **Completa las frases sobre lo que les gusta o no les gusta a diferentes personas.**

a. (yo, leer novelas policíacas) Me gusta leer novelas policíacas .
b. (mi hermano, ver mucho la tele) No me gusta que mi hermano vea mucho la tele .
c. (Ramiro, ver documentales) A Ramiro le gusta ....
d. (sus amigos, invitarle a fiestas) A Yolanda le gusta ....
e. (la gente, gritar) No me gusta ....
f. (Sara, regresar tarde) A la madre de Sara no le gusta ....
g. (mis padres, viajar) A mis padres les gusta ....
h. (su hermana, salir con Lolo) A Alonso no le gusta ....
i. (mis amigos, ser divertidos) Me gusta que ....
j. (mi hermana, estudiar) A mi hermana no le gusta ....

3. **Completa los textos sobre la personalidad de algunos signos del zodiaco con los verbos dados.**

criticar ❖ mirar ❖ sentirse ❖ ser

a. Aries
(22 de marzo-20 de abril)

Necesitas sentirte importante, y no te gusta que nadie te .... Te encanta .... original y no te importa que la gente te .... por la calle.

ayudar ❖ ayudar ❖ escuchar ❖ hacer

b. Leo
(24 de julio-23 de agosto)

Quieres que la gente te .... y te fastidia que no te .... caso. No te importa .... a tus amigos, pero prefieres que no te .... a ti.

conocer ❖ engañar ❖ hacer ❖ reconocer ❖ trabajar ❖ viajar

c. Géminis
(21 de mayo-20 de junio)

Te gusta .... varias cosas al mismo tiempo. Te encanta .... y .... gente, pero tienes miedo de que tus amigos te .... No te importa ...., pero te fastidia que la gente no .... tus méritos.

admirar ❖ hacer ❖ querer ❖ ser

d. Sagitario
(23 de noviembre-21 de diciembre)

Te gusta .... el centro de atención y te encanta .... fiestas. Necesitas que la gente te .... y te ....

4. Completa el siguiente texto con las ideas dadas entre paréntesis.

a. No me gusta que *corten las películas con anuncios* .... (cortar, las películas con anuncios)
b. Estoy harto de que siempre .... (poner, fútbol)
c. Y .... (haber, tantos concursos)
d. Quiero que .... (emitir, programas musicales)
e. Tengo ganas de que .... (las películas, ser en versión original)
f. Y .... (salir, más mi actor favorito)
g. Espero que algún día .... (haber, más cadenas de televisión)

5. Alejandro es un poco maniático. ¿Cuáles son sus manías?

a. (no gustar, llevar calcetines blancos) *No le gusta llevar calcetines blancos*.
b. (poner nervioso, gente, silbar) ....
c. (fastidiar, profesores, preguntar) ....
d. (dar miedo, viajar en avión) ....
e. (odiar, llover) llueva ....
f. (necesitar, comprar algo todos los días) ....
g. (poner nervioso, gente, comer en el cine) ....
h. (no gustar, amigos, beber alcohol) ....

6. ¿Cuáles son tus manías? Completa las frases de forma adecuada.

a. Me gusta ....
b. Me gusta que ....
c. No me importa ....
d. No me importa que ....
e. Me da miedo ....
f. Me da miedo que ....
g. Tengo ganas de ....
h. Tengo ganas de que ....

22 Te espero en casa a las

ALGUNAS PREPOSICIONES COMUNES

Algunas preposiciones simples:

a, con, de, desde, durante, en, entre, hacia, hasta, para, por, sin, sobre

Algunas preposiciones compuestas:

al lado de, antes de, alrededor de, cerca de, debajo de, delante de, dentro de, después de, detrás de, encima de, enfrente de, frente a, fuera de, junto a, lejos de

Usa *las preposiciones* delante de sustantivos y pronombres para indicar diversos significados:

INTERMEDIO ➤ TEMA 4

Preposición	Uso	Ejemplos
a a + *el* = *al*	**Tiempo**	*La clase empieza a las seis.*
	Destino	*Estoy cansada. Me voy a casa.* *¿Vienes al cine?*
	Delante del complemento indirecto y delante del complemento directo cuando se refiere a personas.	*Dale este libro a Iván.* *¿Quieres a tus padres?*
	Lugar en las expresiones *a la derecha, a la izquierda, a la entrada, a la salida*	*Os espero a la entrada del cine.*
con	**Compañía** **Instrumento**	*Me gusta estudiar con Pepe.* *Escribe con este boli. Es azul.*
desde *desde... a / hasta...*	**El momento o el punto inicial de una acción o de un movimiento**	*No he comido nada desde ayer.* *Ayer fuimos en bici desde Valencia hasta Alicante.*
durante	**Tiempo**	*Javi hace los deberes durante el recreo.*

en	**Tiempo** **Lugar** **Medio de transporte**	*En invierno no vamos al campo.* *Saúl nació en el año 2001, en Lima.* *Voy al instituto en autobús.*
entre	**Lugar**	*El cine Capitol está entre un banco y un bar.*
hacia	**Dirección**	*Esta carretera va hacia el lago.*
hasta	**El momento o el punto final de una acción o movimiento**	*Te espero hasta las doce.* *Hicimos una carrera hasta el río.*
para	**Destino** **Fin**	*He comprado unas flores para mi madre.* *Necesito pilas para la radio.*
por	**Medio** **Causa** **Tiempo**	*Cruzad por el puente.* *No salimos por el frío.* *Llámame por la noche.*
sin	**Ausencia**	*Los domingos salgo sin mis padres.*
sobre	**Posición (encima de)**	*No dejes los libros sobre la cama.*

- **Las preposiciones compuestas indican lugar o tiempo:**
  Siéntate junto a Pili. *¿Vives cerca de aquí?*
- **Detrás de las preposiciones se usan los pronombres *mí, ti, usted, él, ella, nosotros/as, vosotros/as, ustedes, ellos/ellas:***
  ¿Hay alguna carta para mí? *Lorena no quiere venir con nosotras.*

con + mí / ti = conmigo, contigo *¿Quieres estudiar conmigo?*

Ejercicios

1. Une las frases.

a. No me gusta el café		1. la piscina todos los días.
b. No salgas	a	2. patatas.
c. Las clases terminan	con	3. Suecia.
d. El examen es	de	4. leche.
e. No pudimos jugar	en	5. junio.
f. Agustín vive	para	6. México.
g. Mi comida preferida es la tortilla	por	7. las cinco.
h. Lotta es	sin	8. la lluvia.
i. Las flores son		9. mi madre.
j. En verano voy		10. abrigo. Hace frío.

2. Haz el crucigrama.

(1)				(2)			(3)		(4)
		(5)						(6)	
						(7)			
			(8)						
	(9)								
(10)	(11)		(12)						
					(13)				
(14)		(15)						(16)	

VERTICAL

1. Hoy tengo clases .... las dos.
2. No pongas los pies .... la mesa, por favor.
3. ¿Has visto .... Teresa?
4. ¿Qué haces .... clase?
7. - ¿Puedo hacer los deberes .... Eva?
   • Bueno.
11. A mi hermano no le gusta que me ría de ....
12. - ¿De dónde venís?
    • .... cine.

HORIZONTAL

2. - ¿Dónde está Leticia?
   • .... su habitación.
5. Corta el pan .... el cuchillo, Norma.
6. Hoy es dos .... marzo.
8. - Estos bombones son para .... Julia.
   • Gracias
9. No te sientes .... mí, por favor.
10. ¿ .... cuándo estudias español?
13. No me gusta estudiar .... la noche.
14. Es tarde. Me voy .... la cama.
15. El domingo vamos a ir .... teatro.
16. Le he regalado mi cámara .... mi hermano.

3. Completa los diálogos con las preposiciones adecuadas.

a. - ¿Cómo se va ....a.... casa de Nuria?

• Cruza el río .... el puente, gira .... la derecha y camina todo recto .... el parque. Luego gira .... la izquierda; Nuria vive .... el número 12 .... esa calle, ... una panadería y un bar.

b. - Tengo dos entradas .... un concierto de guitarra .... el Teatro Municipal esta noche. ¿Quieres venir?

• ¿ .... qué hora empieza?

- .... las ocho.

• Vale. Podemos quedar .... la entrada .... las ocho menos cuarto.

- De acuerdo. .... luego.

c. - ¿Qué le ha pasado .... Julio?

• Ha tenido un accidente .... el partido. Se ha dado un golpe .... la cabeza. Lo han llevado .... hospital.

4. Observa la ilustración y encuentra las mascotas. Usa las preposiciones y palabras siguientes.

debajo de ❖ detrás de
encima de ❖ entre ❖ junto a

alfombra ❖ jaula ❖ librería ❖ libros
puerta ❖ sofá ❖ ventana

a. El hamster está ....detrás de la jaula.... .

b. El perro está ....

c. La tortuga está ....

d. El gato está ....

e. La rana está ....

f. El loro está ....

g. La serpiente ....

23 Si apruebo, iré d

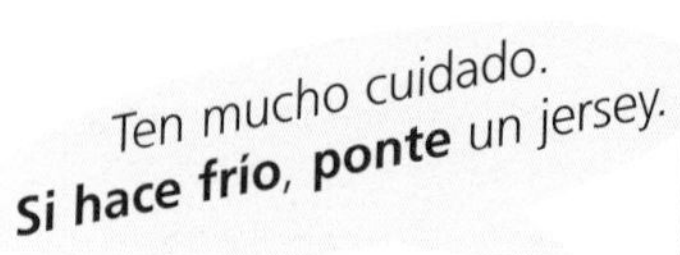

ORACIONES CONDICIONALES

Si + Presente de Indicativo, Futuro simple

Si hace calor, haremos la fiesta dentro. *Si no corremos, llegaremos tarde.*

- **Para referirte a acciones o situaciones futuras que dependen de una condición que puede cumplirse o no:**
  Si llueve mañana, no podremos jugar.
  (Puede que llueva mañana o puede que no.)

Si + Presente de Indicativo, Presente de Indicativo

Si compras este modelo, te regalan los altavoces.
Si metes agua en el congelador, se convierte en hielo.

- **Cuando la consecuencia se cumple siempre:**
  No voy a clase si estoy resfriado.
  (Siempre que estoy resfriado no voy a clase.)

Si + Presente de Indicativo, Imperativo

Si te pierdes, usa el móvil. *Si hace frío, ponte un jersey.*

- **Cuando das instrucciones, órdenes o pides algo:**
  Si llueve, no salgas, Toñi.

La oración condicional también puede ir detrás de la oración principal:
Iré a verte el domingo si tengo tiempo.

Ejercicios

1. Completa los diálogos con los verbos entre paréntesis en forma afirmativa o negativa.

(a)

¿Qué vas a hacer este verano?

Si ....apruebo.... (aprobar), ...iré.... (ir) a un campamento de verano.

Si .... (no, aprobar), ... (quedarse) en casa.

(b)

¿Qué vas a hacer esta noche?

Si .... (estar) cansado, ... (acostarme) pronto.

Si .... (no, estar) cansado, ... (salir) con mis amigos.

(c)

¿Cuándo vas a hacer el trabajo de historia?

Si .... (tener) tiempo, lo .... (hacer) esta noche.

Y si .... (no, acabar) esta noche, lo .... (acabar) mañana.

(d)

¿Vais a ir a la playa este fin de semana?

Sí, y si el agua .... (estar) caliente, ... (bañarse).

Si .... (estar) fría, ... (tomar) el sol.

2. ¿Qué harán estos personajes si llueve el domingo? ¿Y si hace buen tiempo? Utiliza las expresiones dadas.

estudiar ❖ hacer una fiesta ❖ hacer una marcha ❖ ir a la playa ❖ ir a patinar
jugar al tenis ❖ jugar con la videoconsola ❖ lavar el coche de papá

a. *Si llueve el domingo*, Javi ....
Si hace buen tiempo, ...

b. ...., ...
...., ...

c. ...., ...
...., ...

d. ...., ...
...., ...

3. Empareja condiciones y consecuencias y escribe frases.

Condiciones

a. vosotros, no acostarse ahora
b. tú, no tomar la medicina
c. ustedes, escuchar con atención
d. nosotros, no comer
e. tú, ir a Barcelona en avión
f. ustedes, tomar mucho el sol
g. ellos, no usar un mapa
h. yo, no ahorrar

Consecuencias

1. tener hambre pronto
2. quemarse
3. no poder comprar
4. tener sueño mañana
5. perderse
6. no curarse
7. entender todo
8. tardar una hora

a. *Si no os acostáis, tendréis sueño mañana* .
b. ....
c. ....
d. ....
e. ....
f. ....
g. ....
h. ....

4. ¿Conoces muchas supersticiones? Únelas con las siguientes consecuencias y escribe frases.

a. Romper un espejo.
b. Pasar por debajo de una escalera.
c. Ponerse ropa del revés.
d. Picarte la mano derecha.
e. Ver una mariposa blanca.
f. Encontrar una herradura.
g. Levantarse con el pie izquierdo.
h. Tocar madera.

cumplirse tus deseos ❖ recibir dinero ❖ recibir un regalo ❖ tener buena suerte
tener buenas noticias ❖ tener mala suerte ❖ tener un accidente ❖ tener un mal día

a. *Si rompes un espejo, tendrás mala suerte* .
b. ....
c. ....
d. ....
e. ....
f. ....
g. ....
h. ....

5. ¿Conoces las reglas del parchís? Completa las instrucciones con los verbos dados.

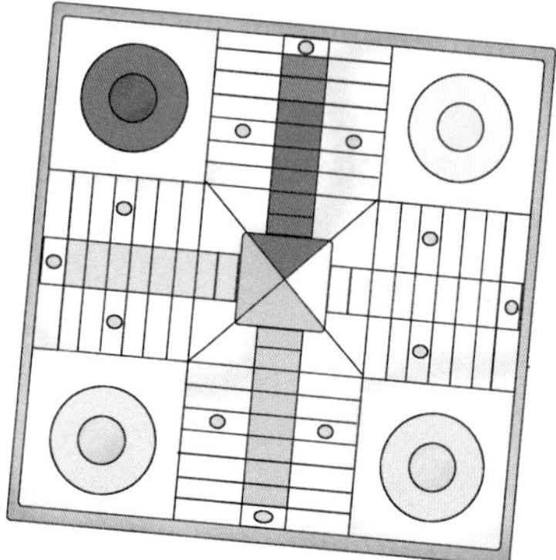

avanzar ❖ comer ❖ contar ❖ estar ❖ ganar
tener ❖ meter ❖ poder ❖ sacar ❖ ser ❖ necesitar
sacar ❖ volver ❖ comer ❖ tener ❖ poder

a) Si ....*sacas*.... un cinco, ...*sacas*.... una ficha de la salida.

b) Si .... una ficha de otro jugador, ... veinte casillas.

c) Si otro jugador te .... una ficha, esa ficha .... a la salida.

d) Si .... en seguro, no te .... comer nadie.

e) Si .... una barrera, no .... pasar.

f) Si .... una ficha en casa, ... diez casillas.

g) Si .... las cuatro fichas en la salida, ... un cinco para poder jugar.

h) Si .... el primero en llevar las cuatro fichas a casa, ...

6. Luis está explicando a un amigo algunas normas de su familia. Completa las frases con los verbos del recuadro.

a. Si ....*saco*.... malas notas, me ....*quitan*.... la paga semanal (sacar, quitar).
b. Si .... buenas notas, me .... una paga extra (sacar, dar).
c. Si .... en casa, me .... una propina (ayudar, dar).
d. Mi padre me .... cinco euros si le .... el coche (pagar, lavar).
e. Si .... los deberes pronto, me .... ver la tele (acabar, dejar).
f. Si no .... bien cuando hay visita, me .... la videoconsola (portarse, quitar).
g. No me .... salir los domingos si no .... la cama todos los días (dejar, hacer).

7. Olga se va de vacaciones al extranjero, la madre le está dando instrucciones. Completa las instrucciones.

a. Si necesitas dinero, llama (necesitar, llamar).

b. Si .... enferma, ... a un hospital (ponerse, ir).

c. Si .... el pasaporte, ... al consulado (perder, ir).

d. Si .... mucho sol, ... el sombrero (hacer, ponerse).

e. Si .... estreñida, ... las pastillas (estar, tomar).

f. Si algún desconocido te ...., ... a un policía (molestar, llamar).

g. Si ...., ... cuidado. .... (llover, tener, no mojarse).

8. Completa las instrucciones para casos de emergencia.

a. Si se para el ascensor, apretad el botón de alarma (pararse, apretar).

b. Si .... un incendio, ... el ascensor. .... por las escaleras (haber, no usar, bajar).

c. Si .... un pequeño incendio en el aula, ... el extintor (haber, usar).

d. Si .... la sirena de alarma, ... inmediatamente a la calle (oír, salir).

e. Si alguno de vosotros .... mal, ... a la enfermería (sentirse, ir).

f. Si .... algún accidente grave, ... a los heridos y .... a la enfermera (haber, no mover, llamar).

g. .... al Director si .... a alguna persona sospechosa (avisar, ver).

Dijo que le gustaba Españ

Solo cinco alumnos **dicen que hacen** deporte regularmente.

Soy chilena. Me gusta mucho España.

Ayer **conocí** a una chica chilena. ***Me dijo que le gustaba mucho*** *España.*

ESTILO INDIRECTO

Estilo Directo	Estilo Indirecto	
	Dice que...	*Dijo que...*
"Soy española."	*es española.*	*era española.*
"Tengo dos hermanos."	*tiene dos hermanos.*	*tenía dos hermanos.*
"Me gusta mucho bailar."	*le gusta mucho bailar.*	*le gustaba mucho bailar.*
"Te veré mañana."	*me verá mañana.*	*me vería mañana.*
"Me gustaría ir a la India."	*le gustaría ir a la India.*	*le gustaría ir a la India.*

- **Para transmitir informaciones de otras personas. Ten cuidado con los tiempos cuando te refieras al pasado:**

  Pili y Carlos: *"No tenemos coche."*

  Antonio: *He hablado hoy con Pili y Carlos. Dicen que no tienen coche.*
  Ayer hablé con Pili y Carlos. Me dijeron que no tenían coche.

Ten cuidado con:

- **Algunos cambios lógicos además de los cambios de tiempos:**

  "Mi hermano vive en Buenos Aires."
  Dice que su hermano vive en Buenos Aires.

  "Te lo devolveré mañana."
  Dijo que me lo devolvería al día siguiente."

Ejercicios

1. Escribe las informaciones que Pedro transmite a su madre.

a. Me llamo Alberto.	*Dice que se llama Alberto* .
b. Quiero hablar con Clara.	Dice que ....
c. Soy un compañero de clase.	Dice ....
d. Tengo entradas para un concierto.	....
e. Mi hermana también va a ir.	....
f. Le gustaría invitar a Clara.	....
g. Llamaré otra vez esta noche.	....

2. Vanesa está presentando los resultados de una encuesta que ha hecho en su clase. Observa el gráfico y completa las frases.

a	18	Ir al cine regularmente.
b	10	Ver la televisión dos horas o más al día.
c	6	Leer un libro o más al mes.
d	5	Hacer deporte regularmente.
e	3	Estudiar dos horas o más al día.
f	2	Ayudar en casa regularmente.

a. *Dieciocho alumnos dicen que van al cine regularmente* .

b. Diez dicen que ....

c. ....

d. ....

e. ....

f. ....

3. Manuel llamó ayer a varios amigos para ir el domingo al cine. ¿Qué le dijeron?

a. Javier: "No puedo salir. Estoy castigado."

Javi le dijo que no podía salir, que estaba castigado .

b. Esther: "Tengo que estudiar."

Esther le dijo ....

c. Virginia: "Vienen mis primas a casa."

....

d. Sebastián: "Solo puedo salir hasta las ocho."

....

e. David: "No tengo dinero."

....

f. Verónica: "Prefiero ir a la bolera."

....

g. Nacho: "Tengo muchos deberes."

....

h. Beatriz: "Quiero ver un partido en la tele."

....

4. Raúl es algo mentiroso. Lee las informaciones de Teresa sobre Raúl y completa las frases con lo que le dijo a María.

a. Raúl trabaja en un banco.
b. Vive en Lima.
c. Tiene un hermano.
d. Sus padres son argentinos.
e. Tiene dieciocho años.
f. Quiere ser fotógrafo.
g. Le gustaría ir a México.
h. No sabe conducir.
i. Le encanta la música pop.
j. Volverá a España el año que viene.

A mí me dijo que trabajaba en un circo (circo).
A mí me dijo que .... (Buenos Aires).
.... (una hermana).
.... (españoles).
.... (veinte años).
.... (piloto).
.... (Tahití).
.... (sabe conducir).
.... (la música clásica).
.... (el mes que viene).

5. **¿Quién dijo qué en unidades anteriores? Busca los rostros en las presentaciones de unidades anteriores y completa las frases.**

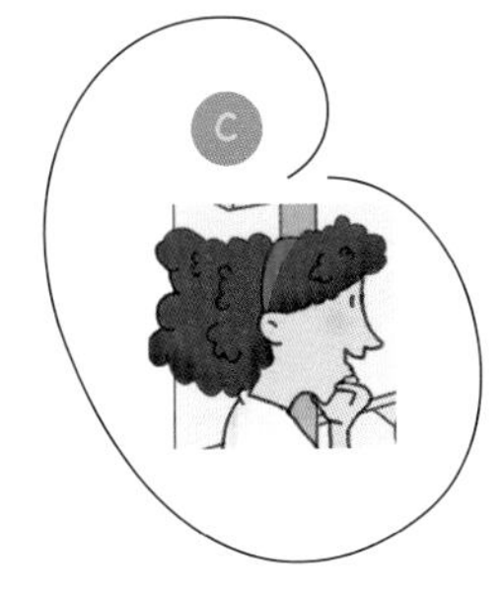

"Javi tiene un perro que juega al fútbol."

"Si apruebo, iré de vacaciones a la costa."

"Mi padre trabaja en un zoológico. Es veterinario."

"Ricardo es guapísimo."

"Soy muy rápido, pero hoy estoy cansado."

"Me gustaría ser una cantante famosa."

"Mañana lloverá en el norte."

"Espero aprobar."

"Tengo diez euros."

a. Julia dijo que *Javi tenía un perro que jugaba al fútbol* .

b. Inma dijo que ....

c. Laura dijo ....

d. Pablo ....

e. Diego ....

f. Ainhoa ....

g. Amparo ....

h. Juan Luis ....

i. Alex ....

1. SOY RÁPIDO, PERO ESTOY CANSADO

Memoria visual

A. Escribe todo lo que recuerdes sobre uno de los personajes del ejercicio 1. Luego compara con tu compañero/a. ¿Quién recuerda más?

Beatriz está en su habitación.

B. Repetidlo con otro personaje.

2. TE LO REGALO

Recuerda la cadena

Elegid uno de los siguientes objetos y pasadlo unos a otros en cadena hasta que el profesor diga BASTA. ¿Recordáis la cadena?

bolígrafo ❖ llaves
calculadora ❖ lapiceros

Carmen le ha dado el bolígrafo a João, João se lo ha dado a...

3. DÍSELO A JAVI

Intercambio de material

A. Estáis haciendo un trabajo manual. Te faltan algunos objetos y te sobran otros. Marca tres objetos en la columna de "Necesito" y otros tres en la de "Me sobra".

NECESITO	ME SOBRA
❑ un lapicero	❑ un lapicero
❑ una regla	❑ una regla
❑ unas tijeras	❑ unas tijeras
❑ rotuladores de colores	❑ rotuladores de colores
❑ pegamento	❑ pegamento
❑ una cartulina	❑ una cartulina

B. Ahora habla con otros compañeros/as. Pide los objetos que necesitas y presta los que te sobran.

¿Te sobra una regla?

Sí.

Déjamela por favor.

Aquí tienes / Toma.

4. ¿QUÉ HACES EL DOMINGO?

Busca compañero/a

A. Completa cinco días del dietario para la semana que viene con actividades. Deja dos días libres.

2. Lunes	
3. Martes	
4. Miércoles	
5. Jueves	
6. Viernes	
7. Sábado	
8. Domingo	

B. Habla con tus compañeros/as e intenta quedar con dos de ellos para estudiar en los días que tienes libres.

¿Qué haces el lunes? ¿Estás libre?

No, el lunes salgo con Marta.

Sí, el lunes estoy libre.

5. DE PEQUEÑO JUGABA MUCHO AL FÚTBOL

Adivina el dinosaurio

Buscad información sobre los siguientes dinosaurios: Plesiosaurio, Monoclonius, Diplodocus, Arqueopterix, Stegosauro, Iguanodón, Broncosaurio, Raptor. A continuación, piensa en un dinosaurio y responde las preguntas de los compañeros/as.

¿Vivía en el agua?

No.

¿Volaba?

Sí.

6. ESTÁBAMOS BAILANDO CUANDO ENTRÓ LA PROFESORA

El domingo pasado

A. Completa el horario siguiente con las actividades que estabas haciendo el domingo pasado a las horas indicadas.

9:00	durmiendo
11:00	
13:00	
17:00	
20:00	
22:00	

¿Qué estabas haciendo el domingo a las...?

B. Pregunta a un compañero/a. ¿Coincidís en alguna hora?

Estaba durmiendo. ¿Y tú?

Yo también estaba durmiendo.

7. UN PERRO QUE JUEGA AL FÚTBOL

Adivina la palabra

A. Busca las siguientes palabras en un diccionario y prepara las definiciones.

un camarero
un veterinario
un okapi
una brújula
una frutería

un mecánico
un fontanero
un guacamayo
una bombilla
un bar

un cartero
un cóndor
un aspirador
una cometa
un restaurante

un albañil
una araña
una ducha
una librería
un quiosco

B. Dile las definiciones a un compañero/a.
¿Sabe cuál es la palabra?

Es una persona que arregla coches.

Un mecánico.

8. ¿QUIÉN ERA ISAAC PERAL?

Test cultural

A. Con un compañero/a, preparad diez preguntas de cultura general con *¿qué?, ¿quiénes?, ¿qué?, ¿cuál?, ¿cuáles?...*

¿Qué deporte practica Ronaldo?
¿Quién es el presidente de Brasil?

B. Haced la preguntas a otra pareja. ¿Quién tiene más respuestas correctas?

¿Qué deporte practica Ronaldo?

¿Fútbol?

9. ¿DÓNDE Y CUÁNDO NACISTE?

Mentiroso

Un compañero/a os va a hacer preguntas sobre vosotros y vuestra familia. Podéis responder con la información correcta o con la información falsa.

A. Prepara diez preguntas para obtener información sobre tu compañero/a y su familia.

¿Cómo se llama tu padre?
¿Dónde naciste?
¿Cuántas hermanas tienes?

B. Hazle preguntas a tu compañero/a. ¿Sabes qué respuestas son correctas y cuáles no?

10. ME HE ROTO UN BRAZO

Preguntas secretas

A. Escribe cinco respuestas "sí" o "no". A continuación di la respuesta y escucha la pregunta del profesor.

1. Sí **2.** No

¿Has comido alguna vez carne de rata?

B. Ahora escribe cinco preguntas sobre experiencias personales o sobre lo que has hecho hoy. Recuerda: pide la respuesta primero.

¿Te has lavado hoy?

Sí. No.

11. ¿HAS VISTO A ROSA? SÍ, LA VI AYER

Experiencias personales

A. Prepara preguntas para un compañero/a sobre las siguientes experiencias:

Viajar al extranjero. Romperse una pierna o un brazo. Escribir una carta en español.	Tener un accidente. Hablar con un extranjero en español. Ver a alguien famoso.

B. En grupos de cuatro, haced las preguntas a un compañero/a. Si las respuestas son afirmativas, haced más preguntas sobre las circunstancias.

¿Has tenido alguna vez un accidente?

Sí.

¿Cuándo fue?

Hace dos años.

¿Qué pasó?

...

12. MAÑANA LLOVERÁ EN EL NORTE

Un buen adivino

Alumno A: Quieres conocer tu futuro y visitas a un adivino. Escribe las preguntas que quieres hacerle.

¿Seré famoso?

Alumno B: Eres adivino que utiliza "papeles mágicos" de dos colores, uno para "sí" y otro para "no". Escucha las preguntas de tu compañero/a y predice su futuro.

Sí. Serás muy famoso.

¿Seré famoso?

13. ME GUSTARÍA SER FAMOSO

Soñando despiertos

A. Imagínate que te has encontrado un billete de 500 euros. Planifica cómo te los gastarías con otros dos compañeros/as.

Haría una fiesta. Invitaría a toda la clase.

B. Di tus planes a tus compañeros/as y escucha los suyos.

Primero haría una fiesta e invitaría a toda la clase. Luego...

C. Elegid los mejores planes del grupo y contádselos a la clase.

Haríamos una fiesta y...

14. NO HAY NADIE EN EL AULA

¿Hay alguien?

A. Observad la ilustración durante 1 minuto. Luego preparad preguntas a un compañero/a.

¿Hay alguien leyendo el periódico?

¿Hay algo en el banco?

B. Haced las preguntas a un compañero/a. ¿Es buen observador?

15. AYER ESTUVE AQUÍ

Aquí está el astronauta

A. Completa los círculos de la ilustración con el astronauta y el alienígena.

B. Dale instrucciones a tu compañero/a para que dibuje los elementos en su ilustración.

Dibuja un astronauta delante.

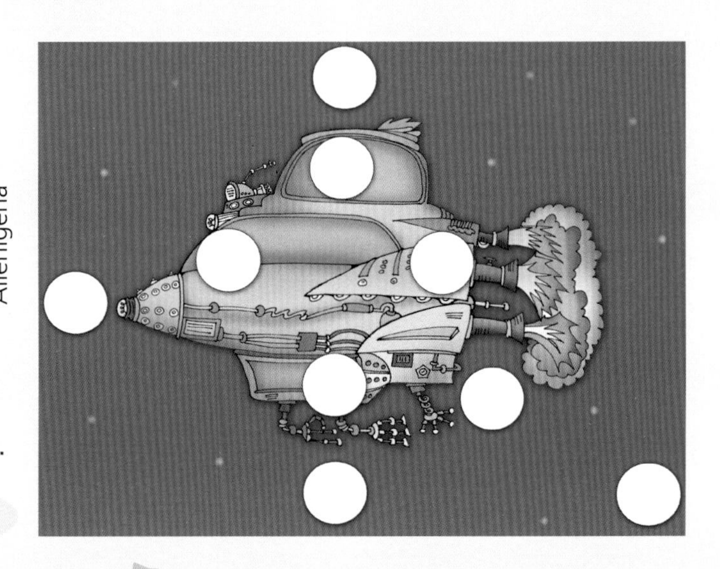

16. ES GUAPÍSIMO, MUY SIMPÁTICO Y TIENE MUCHOS AMIGOS

¿Verdadero o falso?

Lee el texto sobre Lina del ejercicio 7 y escribe tres frases verdaderas y tres falsas sobre ella. Luego díselas a tu compañero/a. ¿Sabes cuáles son verdaderas y cuáles falsas?

Lina sale mucho.

Falso.

Sí, es falso.

17. TENGO MÁS AMIGOS QUE TÚ

Coincidencias

Tu compañero/a y tú coleccionáis los objetos de la tabla. Rellénala con las siguientes cantidades. Luego, adivina si tienes más, menos o tantos como tu compañero.

10 75 245 690 1450

monedas
billetes de banco
postales
sellos
llaveros
plumas

Creo que tengo más monedas que tú.

¿Cuántas tienes?

Doscientos cuarenta y cinco.

Yo tengo setenta y cinco. Ganas.

18. ME ENCANTA BAILAR

Adivina la acción

En grupos de cuatro o cinco.

Uno de vosotros piensa en una actividad. Por ejemplo estudiar. El resto de la clase hace preguntas para intentar averiguar la actividad.

¿Puedes hacerlo en la calle?

Sí, pero no muy bien.

¿Hay que hacerlo en un sitio especial?

Sí.

¿Sueles hacerlo los fines de semana?

No.

19. QUIERO QUE ME AYUDES

Adivina los gustos

A. Completa las frases con las expresiones siguientes que desees.

engañar ❖ gastar bromas ❖ invitar a fiestas
llamar por teléfono

preguntar en clase ❖ suspender ❖ tocar el pelo

Me gusta que me...
Me encanta que me...
Me fastidia que me...
Me pone nervioso/a que me...
Estoy harto/a de que me...

B. Ahora intenta adivinar los gustos de un compañero/a.

Te gusta que te inviten a fiestas.

Sí, correcto.

20. ESPERO QUE NO LLUEVA

Las tres en raya

Juega con un compañero/a. Elige una casilla y completa la frase. Si lo haces correctamente, escribe tu nombre en esa casilla. Gana quien complete tres casillas en raya. Si tenéis dudas, consultad al profesor.

Espero que mañana no...	Me encanta que mis amigos me...	No me gusta que la gente...	Tengo ganas de que mis padres...
Quiero que (tú)...	No me importa que	¡Ojalá...!	Me extraña que...
Estoy harto/a de que...	Me alegro de que...	Prefiero que...	Me fastidia que el profesor...

21. QUIERO ESTUDIAR / QUIERO QUE ESTUDIES

Coincidencias

A. Completa las frases con alguno de los verbos o expresiones siguientes.

ayudar ❖ beber alcohol ❖ engañar ❖ esperar ❖ fumar

gastar bromas ❖ gritar ❖ hacer fiestas ❖ ser original

Me gusta .... a mis amigos.
Me gusta que mis amigos ....
No me gusta ....
No me gusta que mis amigos ....
No me importa ....
No me importa que mis amigos ....

B. En grupos de 4 ó 5 leed vuestras frases al resto. ¿Coincidís en muchas?

22. TE ESPERO EN CASA A LAS DOS

Dibuja y adivina

Dibuja una pelota pequeña en algún lugar de la ilustración. Luego responde a las preguntas de tus compañeros/as.

¿Está dentro de la caja?

No.

¿Está delante de la caja?

...

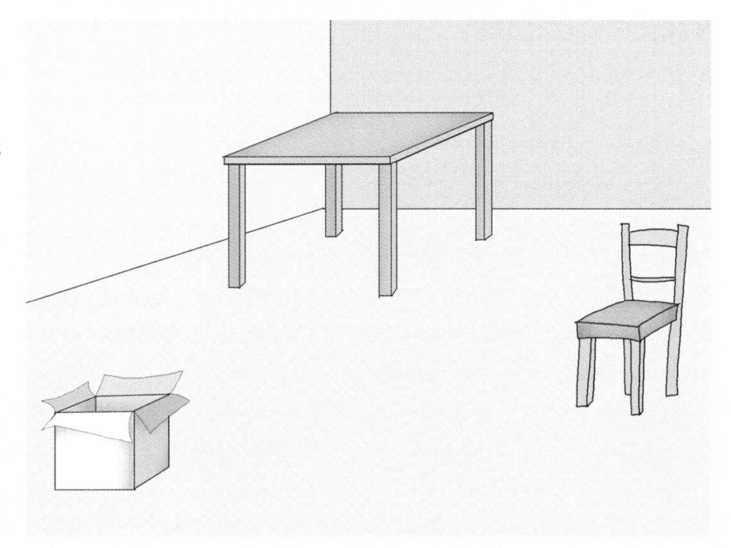

Examen oral

Copia algunas frases con preposiciones del Tema 22. Luego, díselas a un compañero/a sin la preposición. ¿Puede completar la frase?

La clase empieza las seis.

La clase empieza a las seis.

23. SI APRUEBO, IRÉ DE VACACIONES

Supersticiones

Piensa en supersticiones de tu país. Luego pregunta a tus compañeros/as.

¿Qué pasa si tiras la sal?

Si tiras la sal, tendrás mala suerte.

24. DIJO QUE LE GUSTABA ESPAÑA

Háblale al oído

Formad grupos de tres. Uno de vosotros dice algo al oído de otro. Este debe transmitir al tercer alumno lo que ha dicho el primero, cambiando la información en algunos casos. ¿Sabe si es verdad o mentira?

Me gusta mucho la música.

Dice que no le gusta la música.

Mentira.

PRESENTE DE INDICATIVO

VERBOS REGULARES

	verbos acabados en -ar	verbos acabados en -er	verbos acabados en -ir
	TRABAJAR	BEBER	VIVIR
(yo)	trabajo	bebo	vivo
(tú)	trabajas	bebes	vives
(usted)	trabaja	bebe	vive
(él, ella)	trabaja	bebe	vive
(nosotros/as)	trabajamos	bebemos	vivimos
(vosotros/as)	trabajáis	bebéis	vivís
(ustedes)	trabajan	beben	viven
(ellos/as)	trabajan	beben	viven

VERBOS IRREGULARES

	e → i	e → ie	o → ue	u → ue	c → zc	u → uy
	CORREGIR	CERRAR	PODER	JUGAR	CONOCER	HUIR
(yo)	corrijo	cierro	puedo	juego	conozco	huyo
(tú)	corriges	cierras	puedes	juegas	conoces	huyes
(usted)	corrige	cierra	puede	juega	conoce	huye
(él, ella)	corrige	cierra	puede	juega	concoce	huye
(nosotros/as)	corregimos	cerramos	podemos	jugamos	conocemos	huimos
(vosotros/as)	corregís	cerráis	podéis	jugáis	conocéis	huís
(ustedes)	corrigen	cierran	pueden	juegan	conocen	huyen
(ellos/as)	corrigen	cierran	pueden	juegan	conocen	huyen

	(yo)	(tú)	(usted)	(él, ella)	(nosotros/as)	(vosotros/as)	(ustedes)	(ellos/ellas)
DAR	doy	das	da	da	damos	dais	dan	dan
DECIR	digo	dices	dice	dice	decimos	decís	dicen	dicen
ESTAR	estoy	estás	está	está	estamos	estáis	están	están
HACER	hago	haces	hace	hace	hacemos	hacéis	hacen	hacen
IR	voy	vas	va	va	vamos	vais	van	van
OÍR	oigo	oyes	oye	oye	oímos	oís	oyen	oyen
PONER	pongo	pones	pone	pone	ponemos	ponéis	ponen	ponen
SABER	sé	sabes	sabe	sabe	sabemos	sabéis	saben	saben
SALIR	salgo	sales	sale	sale	salimos	salís	salen	salen
SER	soy	eres	es	es	somos	sois	son	son
TENER	tengo	tienes	tiene	tiene	tenemos	tenéis	tienen	tienen
VENIR	vengo	vienes	viene	viene	venimos	venís	vienen	vienen
VER	veo	ves	ve	ve	vemos	veis	ven	ven